KB171932

내가 어쩌다 이렇게 끔찍한 인간이 되었을까

내가 어쩌다 이렇게 끔찍한 인간이 되었을까

이윤정

프롤로그

"얘들아, 학원에 왜 오는 거야?"

수업이 10분도 채 남지 않은 시간, 1분이라도 강의가 길어질까 시계를 확인하느라 바빠지는 아이들의 눈동자 굴리기를 멈출 묘안을 궁리하다 냅다 질문을 던져본다. 학원에 왜 오냐니! 생각해 본 적 없는 질문에 학생들이 멀뚱멀뚱 쳐다본다.

"집에 갈라고 오는 거지! 학원에 와야 집에 가니까! 아닌 사람~!"

학생들이 환하게 웃는다.

"지금 여기서 집에 제일 가고 싶은 사람이 누굴까?"

당연히 제 자신이라는 답을 얼굴에 써 놓고 씩 웃는 아이들.

"지금 이 강의실에서 집에 제일 가고 싶은 사람은 바로 선생님이야. 그걸로는 아무도 선생님 못 이길걸?!"

아이들이 소리 내어 웃는다.

참 아이러니하다. 귀가를 하기 위해 등원을 한 아이들과 퇴근을 목표로 출근한 선생님이 모여 수업을 하는 강의실. 아이들은 1년째, 나는 무려 20년째 하는 생활이다. 아이러니한 것은 이러한 강의실의 풍경만이 아니다. 금쪽같은 아이를 낳아 키우고 있자면 뱃속에 다시 집어넣고 싶다는 말이 하루에도 열두 번씩 튀어 나온다. 늘 고마운 부모님 선물을 사러 간 백화점에서 양손에 주렁주렁 들고 나오는 쇼핑백에는 올해도 쑥쑥 커 줘서 맞는 바지가 없는 아이들의 바지와 그 바지와 함께 입으면 잘 어울릴 티셔츠들이 먼저 담긴다. 주저 없이 주문한 따뜻한 아메리카노를 받아들면서는 아이스라떼가 아쉬워지고, 자려고 누우면 눈이 더 말똥말똥해지는 일은 귀여운 수준이다.

- 내가 정말 하고 싶은 것은 뭘까? 내가 정말 원하는 삶은 어떤 삶일까?

작가를 꿈꾸었던 문학 소녀는 무럭무럭 자라 학교가 끝난 아이들을 붙잡아 놓고 국어를 가르치며 퇴근을 기다리고 있다. 소녀는 그 사이 결혼을 하고 두 아이의 엄마가 되었다. 강의실에서 퇴근해 집으로 출근하고 집에서 퇴근하면 강의실로 출근하는 생활의 자전거는 소녀가 한 번도 상상해보지 않은 방향으로 굴러갔다. 수많은 선택의 갈림길에서 모든 길은 소녀가 선택했지만, 그 길에서 펼쳐지는 생활은 소녀가 한 번도 선택한 적 없는 것이었다.

관성이 붙은 바퀴에는 브레이크가 없었다. 멈추는 것은 오로지 소녀의 용기와 의지로만 가능했다. 안간힘을 다해 페달을 밟으면서도 소녀는 멈추기가 두려웠다. 멈춤의 두려움을 각오하는 대신 쉬지않고 출근 페달을 밟는 고통을 견디기로 한 생활이 벌써 스무 해째다.

소녀는 여전히 자전거 페달을 밟으며 더 이상 미루고 싶지 않은 꿈을 꺼내보기로 했다. 얼마나 꿈꾸던 일인가. 얼마나 오래 상상해 온 일인가. 고단한 강의와 설거지까지 끝내고 매일같이 기다렸다는 듯이 원고지 앞에 앉아 그간 묻어둔 나만의 이야기를 유려하게 써 내려가는 내 모습을 상상해본다. 핀 조명을 받은 주연배우처럼 내 삶의 주인공이 되는 순간!

드디어 설거지를 마치자마자 원고지 대신 노트북을 켰다. 한글 맞춤법 테스트를 출제하기 위해서도, 엊그제 시행한 수능 모의고사를 출력하기 위해서도 아니다. 오랫동안 나의 이야기를 기다려온 뽀얀 '새 문서'를 클릭하기 위해서다. 첫 행에서 바쁘게 깜빡이는 커서의 리듬에 심장이 두근거렸다. 10여분이나 지났을까. 고단한 하루가 연이은 하품 세례를 퍼부었다. 하품에 고인 눈물을 닦자 자러 들어갔던 막내가 나와 정수기에서 물을 추출하며 묻는다.

"엄마, 뭐 해?"

"응, 수업 준비." 하고 둘러대고는 호기심으로 데굴데굴 굴러오는 막내의 눈동자를 피해 황급히 다른 파일을 열었다가 닫는다.

"휴-." 막내가 자러 들어갔다. '새 문서' 창과의 눈싸움 2차전이 시작되었다. 1시간쯤의 팽팽한 눈싸움 끝에 드디어 'ㅇㅓㅁㅁㅏ' 라고 키보드를 누르려니 저녁도 안 먹고 잠들어서는 남들 잘 시간에 일어나 어슬렁어슬렁 나오는 첫째.

"배고파." 나는 반사적으로 겨우 적기 시작한 '엄마' 2글자를 삭제하고 사전 검색창과 글쓰기 창을 내리고 일어났다. 차돌박이 된장찌개에 어제 엄마네서 공수해 온 무생채와 콩나물 무침을 나란히 차려놓고 프라이팬에 반 봉지 남은 비엔나 소시지를 탈탈 털어 케첩으로 간을 해 볶아놓으니 첫째가 군소리 없이 늦은 저녁을 먹는다. 첫째가 식탁을 비우기를 기다리는 동안 메시지가 도착한다.

"선생님, 학교 프린트 나왔어요. 김정한의 〈모래톱 이야기〉 진도 나갔어요."

글쓰기는 시작도 못했는데 다음 수업까지 준비해야 하는 과제가 추가됐다. 충분히 예상하고 각오했지만 일하는 엄마의 자아 실현은 쉽지 않을 전망이다. 이 또한 자전거 위에 극복해야 할 짐만 더하는 것은 아닌지 첫날부터 심상치 않다. 첫째의 밤늦은 식사도 끝나고, 새로 나온 진도 준비는 미루고 다시 집중력을 다잡아 눈싸움을 시작했다. 뭐라도 써 보자는 심정으로 호기롭게 '인생은' 이라고 써 보고는 급기야 노트북을 끄고 말았다. 오래 바라오던 간절함에 비해 첫 글자도 적히지 못한 '새 문서' 와의 첫 눈싸움은 그야말로 완패다. 이 순백의 문서는 정말 '책' 이 될 수 있을까? 내일은 반드시 첫 페이지를 완성해 보리라 다짐해본다.

저자 이윤정이 쓰는 첫 책은 오래 그리워한 나의 엄마에게 쓰는 편지다. 너무 단단해 보여서 알기를 두려워해 온 아빠의 어깨를 어루만지는 안마다. 넘어지면 넘어진 채로 주저앉고 싶었던 나를 번번이 일으켜준 절대적 존재, 나의 마지막 가족에게 바치는 갓 지은 밥이다.

그리고 다시 태어나면 절대로 엄마가 되지 않으리라 다짐하지만, 지금 이 순간 나를 엄마로 만들어준 '너' 가 있기에 다시 살아갈 용기를 얻는 '나' 에게, '엄마' 인 모두에게 선물하는 리미티드 에디션이다.

차 례

1장

내가 어쩌다 이렇게 끔찍한 인간이 되었을까

살다 보면 길이 보이지 않을 때가 있다
원망하지 말고 기다려라

눈에 덮였다고
길이 없어진 것 아니요
어둠에 묻혔다고
길이 사라진 것도 아니다

묵묵히 빗자루를 들고
눈을 치우다 보면
새벽과 함께
길이 나타날 것이다

가장 넓은 길은
언제나 내 마음 속에 있다.

– 양광모, 〈가장 넓은 길〉 전문*

---

* 출처 : 양광모 『눈물 흘려도 돼』 푸른 길 (2023)

내가 어쩌다 이렇게 끔찍한 인간이 되었을까

한 권의 소설은 독자의 심연에 한 줄의 대사로 기억되기도 한다. 작년 이맘때다. 동네 작은 도서관에서 읽은 기욤 뮈소의 소설 〈사랑하기 때문에〉는 나에게 그런 한 줄의 독백을 던져 주었다.

소설 속에는 저마다의 상처를 가진 인물들이 등장한다. 그중에서도 억만장자의 상속녀인 앨리슨은 코카인 중독, 음주 운전 등 방탕한 생활로 위태로운 삶을 살아간다. 어느 날 앨리슨의 가정부가 그녀에게 또박또박한 말투로 충고한다.

"난 너의 시중을 드는 가정부일 뿐이야. 하지만 얼마 전부터 네가 부끄러워지기 시작했어."

충고를 듣기 싫은 앨리슨은 테이블 위에 놓여 있던 시리얼 그릇을 가정부의 얼굴을 향해 냅다 집어던지고 집을 나와 자신의 빨간 지프에 올라탄다. 몸을 부들부들 떨며 눈물을 글썽이던 앨리슨은 거칠게 시동을 걸고 액셀레이터를 밟아 억수처럼 쏟아지는 빗속을 전속력으로 달리며 생각한다.

- 내가 왜 그랬지? 내가 어쩌다 이렇게 끔찍한 인간이 되었을까?

매일 아침 모닝콜이 고막을 찢어놓기 직전에야 간신히 일으킨 몸으로 큰 아이에게는 시리얼, 작은 아이에게는 요행히 1개 남은 군고구마와 사과즙을 배식한다. 식탁 위에는 어제의 동선이 그대로 그려지는 식구들의 하루가 정직하게 널브러져 있다. 건더기는 다 건져 먹은 김치찌개 냄비, 아마도 저녁을 먹기 전에 허기진 배를 채웠을 떡볶이 배달 영수증이 붙어 있는 비닐봉지. 튀김이 없는 튀김 종이봉투. 떡볶이나 순대가 들어있었을 법한 플라스틱 용기. 밤이 되자 출출해진 식구들의 심심한 입을 차례로 즐겁게 해 주었을 과자 봉지, 아이스크림 봉지. 오늘 퇴근 후에도 이처럼 정직한 식탁을 그대로 다시 만난다면 식탁을 없애버릴 수도 있겠다 싶은 분노는 갈수록 조절 능력을 잃어간다. 식구들의 출근 및 등교를 마친 아침의 적막 속에 앉노라면 일자목 아래 굽은 등허리를 하염없이 두들기는 어제의 '나' 가 떠오른다.

수강생이 줄어 강의실이 바뀔 줄을 알았지만, 마이크도 준비되지 않은 강의실에 배정될 줄은 몰랐다. 학원 강사에게는 성적표와 같은 '출석부' 에는 당연히 수강생의 이름보다 수강생을 기다리는 빈칸이 두 배는 많았다. 개강 취소를 몇 날이나 고민하다 초심을 다잡으며 개강을 확정한 수업이었건만, 20년 차를 바라보는 경력 강사인 나도 어쩔 수 없는 기성세대인가. 강의를 하면 할수록 초심을 잡아보려 한 며칠 전의 내가 원망스러웠다.

더 억지로 지어내는 웃음. 더 힘주어 질러보는 목소리. 더 형형색색 현란하게 칠하는 분필. 사력을 다한 끝에 밀려오는 허망함에 피식 웃었다. 60시간과 같았던 6시간의 강의를 마치고 탈진하다시피 퇴근한 나를 맞이하는 건 언제나 '집'으로의 출근이다. 이력이 날 법도 하건만 널브러진 식탁을 못 본 듯 미루고 지나치려는 엄마를 구태여 돌아서게 하는 형제의 난에 나는 결국 벼르던 말들을 쏟아붓고 말았다.

"그렇게 싸울 거면 차라리 아무 말도 하지 마. 남처럼 지내. 너희는 남보다 못해. 책도 읽지 마. 학원이고 학교고 다 그만둬. 그렇게 놀고 빈둥거리고 살다가 친구들 등교하는 길에 교문 앞에 가서 구걸이나 해. 엄마가 은행이야? 못 사줘. 엄마 팔아서 사. 도대체 너는 샤프가 몇 개야? 그런데 또 사! 용돈 준 지가 언젠데 무슨 돈을 또 달래! 엄마랑 약속한 거 잊었어? 해야 할 일은 하나도 안 하면서 필요한 것만 뭐가 그렇게 많아! 오늘도 하루 종일 유튜브만 쳐다봤지? 아무리 심심해도 책 한 장을 안 보지? 너희는 고등학교 졸업하면 바로 군대나 가! 너희 다 내보내고 집 비밀번호도 바꿔버릴 거야. 군인이 되든 거지가 되든 지금처럼 한 번 살아봐. 세상이 그렇게 어서 오세요, 하고 따뜻한 집에서 밥 먹여 주는지!"

위태롭게 이겨낸 하루의 허망함은 언제나 아이들의 사소한 잘못에 꽂히는 법이었다.

- 애들한테 왜 그랬지?
- 내가 왜 그랬지? 내가 어쩌다 이렇게 끔찍한 인간이 되었을까?

거울을 본다. 수백 년 세월에 쓸려 거칠어진 고목(枯木)의 껍질과 같이 생(生)의 증거라고는 느껴지지 않는 퍽퍽한 피부. 말라 죽은 잠자리의 날개를 묻은 듯 떼꾼하게 파여 망막을 덮칠 듯이 내려와 있는 눈두덩이, 흡사 매 순간 목숨을 건 전투 끝에 잠시 총을 내려놓고 허공을 응시하는 패잔병처럼 나를 보고 있다. 애써 거울을 볼 것도 없다. 거울처럼, 천연히 나의 일거수일투족이며 말투의 토씨 하나까지 닮아가는 아이들을 발견하는 것만으로도 아이들의 그 혀 속에, 행동 속에 숨어 있는 '나'는 이미 참으로 끔찍하다.

버거운 생활의 굴레는 세상을 향한 원망을 낳고 정지 버튼이 없는 쳇바퀴 속에서 스스로를 채찍질만 해온 내가 세월에 닳아 낡은 거죽뿐만이 아니라 세파에 멍든 가슴 속 깊은 곳까지 이렇게 끔찍해져 있는 줄을 새삼 깨닫는다.

소설 속 인물들은 앨리슨을 포함하여 모두 가슴 속 깊은 상처들을 피하기만 한다. 그리고 겉으로는 화려하게, 혹은 처참하게 자신을 파괴하며 자신의 내면으로부터 도망을 다니며 살아간다. 하지만 사실은 '내가 끔찍하게 살아가고 있다' 는 것을 뼈아프게 알고 있는 한, 인물들은 그 상처에서 한 걸음도 도망갈 수 없었다. 작가는 아마도 자신의 분신 같았을 소설 속 인물들이 각자의 상처를, 과거의 참혹한 기억을, 혹은 돌이키지 못할 잘못을 직접 대면하게 한다. 이것 때문에 얼마나 아팠는지, 가슴 속 깊은 곳을 외면하며 얼마나 스스로를 끔찍하게 살도록 강요했는지 똑똑히 마주하게 한다. 매일매일 마음을 천 갈래 만 갈래로 찢어놓는 두려움과 버거운 일상은 변함이 없다. 하지만 그보다 더 두렵고 버거운 것은 그런 일상 속에서 어제보다 오늘 더 끔찍하게 살고 있는 '나' 를, 그런 '나' 를 열심히 닮아가는 '내 아이들'을 만나는 순간이다.

'가족'을 일군다는 것은 과연 어마어마한 일이었다. 내 살의 한 점이, 혹은 혈관의 한 줄기가 척박하기 그지없는 세상이라는 운동장에 나상(裸像)으로 나와 마구 뜀박질을 하고 있다. 그 살점이, 핏줄이 다칠까 봐 전전긍긍 따라다니는 일상은 차마 못 할 일이었다. 그 어마어마한 일을 한 손에, 다른 한 손에는 직장 일까지 꽉 움켜쥐고 있는 삶이 위태로운 것은 어쩌면 당연한 일인지도 모르겠다.

앨리슨은 폭우 속에 운전을 하다 어린 아이를 죽음에 이르게 한다. 사람을 죽였다는 공포와 죄책감을 안고 살아가던 그녀는 아버지의 소개로 정신과 의사의 최면 프로그램에 참여한다. 최면 속에서 제 차에 치여 죽은 아이와 아이의 부모를 만난 그녀는 긴장된 시간 속에서 점차 속 깊은 대화를 나누며 외면해 왔던 심연의 고통과 정면으로 마주한다. 자신의 잘못과 상처를 피하지 않고 시인하고 털어놓음으로써 있는 그대로 받아들이는 과정은 흡사 오래 굳어져 있던 허물을 벗고 한 장 한 장 날개를 펼치며 드디어 날갯짓을 시도하는 나비를 보듯 경이로웠다. 그저 '꿈'이었다는 결말은 다소 싱거운 면이 있었지만 이내 깨어난 현실에서 앨리슨이 다시 살아갈 용기를 얻는 장면은 뜨거운 응원을 보내기에 충분했다.

-내가 어쩌다 이리 끔찍한 인간이 되었을까.

저녁 식사의 흔적이 고스란히 널브러져 있는 정직한 식탁 때문이 아니다. 출석부에 적힌 이름의 개수에 맞게 평수가 작은 강의실을 배정하는 세상의 친절한 계산기 때문이 아니다. 종일 책 한 글자 보지 않고, 유튜브에만 몰두하며 여러 개의 샤프를 사 모으는 너희 때문이 아니다. 오늘도 세상이 던지는 수많은 시험지 더미에 아무렇게나 '나'를 던져놓고 사람들이 쓰는 답지를 베끼러 다니기에 바쁜 '나' 자신 때문이다. '나' 로부터 도망쳐 베껴 적은 타인의 답안지가 무슨 의미인가. 그런 시험의 성적표에서 만나는 것은 결국 '끔찍한 인간' 으로 살아가는 일그러진 '나' 자신일 뿐이다.

앨리스만 한 것은 아니더라도 사람들은 모두 저마다의 상처를 안고 살아간다. 상처는 쉽게 덧나고 고통스러우나 마주할 용기가 선뜻 나지 않는다. 하지만 상처는 본연의 '나' 자신이다. 심연의 상처를 있는 그대로 마주할 때 비로소 그 안에서 고통받는 '나'와 만날 수 있으며 그런 '나'를 구할 수 있는 존재는 오로지 '나' 자신뿐임을 깨닫게 된다.

앨리슨이 그랬고, 앨리슨을 치료한 정신과 의사마저도 그랬다. 끔찍하게 살아가는 것이 결코 죄책감을 덜어주지 않았다. 끔찍한 생활로 채우는 일기는 상처에 대한 공포를 더하고 인물들의 삶을 시궁창에 처박았을 뿐이다. '자기' 와의 고통스러운 직면은 필연적으로 다가오는 '내일' 에 눈을 뜨게 한다. 지금까지와는 다른 삶을 살아가기에 넉넉한 용기가 된다.

세월에 따라 삶의 '끔찍한' 더께만 더해가는 이 누추하고도 괴팍한 생명을 왜 살아내야 하는지 돌연히 궁금해질 때가 있다. '나'로부터 멀리 도망치면 칠수록 더 가까이 다가와 심장을 두드리는 절박한 물음표에 기욤 뮈소는 가만히 이야기한다.

세상의 사랑을 얻으러 부질없이 쏘다녀온 너의 세월 속에서 누추하고 괴팍한 생명을 붙잡고 너를 바라보는 '그' 가 누구냐고. 그네 밀어주던 소꿉친구도 떠나고, 스무 살 생일 초 밝혀주던 학교 동기들도 떠나고, 우리가 처음 만났을 때 이렇게 오래 만날 줄 알았더냐며 영원한 전우로 남자고 동틀 때까지 잔을 부딪치던 술친구도 다 떠나는 동안 한 번도 떠나지 않고 너를 지키고 있는 '그' 가 누구냐고.

-사랑하기 때문에

괴팍한 얼굴일지라도 그 누추한 생명 붙잡고 이 너절한 세월의 끝까지 '너' 를 지켜낼

'나' 를 사랑하기 때문에 오늘도 살아야 하는 거라고!

어떤 아픔도 다 무뎌져

기어코 떠나버린 사람 뒤에 툭 남겨진 우리의 긴 밤에
새까만 하늘이 내립니다.

가파른 오르막길 한사코 오르다 맥없이 주저앉은 곳이 겨우 제자리임에 망연자실하는 우리의 긴 밤에
빈센트 반 고흐가 죽은 뒤에야 빛을 발하기 시작한 그의 그림 〈The Starry Night〉와 같이 별이 빛나기 시작합니다.

괴성을 질러 너의 가슴을 밀어 내고서야 한 찰나만 기다리면 지나가는 일이었음을 알아채고 있는 우리의 긴 밤에
그리운 엄마 같은 고요가 밀려옵니다.

지나친 걱정에
지나쳐가는 잠이 야속한 밤이면
잊혀진 줄 알았던 노래가
그물처럼 갈라진 정맥을 따라 동맥을 따라 흘러옵니다.

- 지금도 기억하고 있어요.
  시월의 마지막 밤을
  뜻 모를 이야기만 남긴 채 우리는 헤어졌지요.

그날의 쓸쓸했던 표정이 그대의 진실인가요.
한마디 변명도 못하고 잊혀져야 하는 건가요.
언제나 돌아오는 계절은 나에게 꿈을 주지만,
이룰 수 없는 꿈은 슬퍼요.
나를 울려요.

1980년대 가수도 부르고
1990년대 가수도 부르고
2000년대 가수도 부르고
2010년대 가수도 부른

우리들의 '잊혀진 계절'

어리석음과 그리움과 미움과 슬픔에 몸서리치는
긴 밤이 있는 한
누군가는 계속 불러줄 것만 같은 노래가 흘러옵니다.

미워할 것 없어
슬퍼할 것 없어
그토록 남김없이 보낸 밤들도 다 잊혀져
잊혀진 계절 앞에 남은 말들은

뜻 모를 부스러기일 뿐

어제로도 내일로도 도망칠 길 없어
오롯이 앓는 밤,
뽀얀 살갗에 새초롬히 내려앉은 아이의 속눈썹과 같은 까만 하늘이
이마를 짚습니다.
그리운 엄마 같은 고요가 토닥입니다.

미워할 것 없어
슬퍼할 것 없어
어떤 아픔도 다 무뎌져

나는 가끔 〈전원일기〉를 본다.

건조기에 빨래를 넣고 TV를 트니 뉴스가 나온다. 앵커는 어제와 비슷하나 좀 더 잔혹해진 사건들을 보도하고 있다. ○○동 칼부림 사건, 데이트 폭력, ○○교 20대 교사의 극단적 선택, 생활고를 비관한 가장의 자녀 살해, 참혹한 개 번식 공장에서 1400마리 개 구조와 공장주 체포 등 어느 하나 심장을 부여잡지 않고 볼 수 있는 소식이 없다.

주요 뉴스 보도가 끝나자 청청(淸淸)한 피아노 소리로 시작되는 날씨 예보와 신나는 드럼 소리와 함께 박진감 넘치게 등장하는 스포츠 뉴스. 앞서 숨통을 부여잡고 들어야만 했던 비극적인 뉴스들로 잔뜩 찌그러진 미간을 갑자기 펴려니 머쓱한 마음에 괜히 소파 뒤에 걸린 액자를 슬쩍 돌아다 봤다. 첫째가 초등학교 때 찍었던 참 단란했던 우리 넷의 가족사진. 이벤트에 당첨되어 무료로 찍어준다는 전화에 덜컥 방문했다가 액자값으로 무려 50만원을 지출 당한 상처가, 첫째가 고등학생이 된 지금까지도 볼 때마다 제일 먼저 생각나는 애증의 액자다.

하루 동안 우리나라에 일어난 소식이 죄다 동물을 해치고, 타인을 해치고, '나' 자신을 해치는 잔혹한 사건 일색이라니! 이 무시무시한 사회에서 오늘도 요행히 살아남아 이토록 편안한 자세로 소파에 몸을 의지하고 뉴스를 시청할 수 있다는 사실이 기적이 아닐 수 없다. 스포츠 뉴스가 끝나자 화면 상단에 다음 프로그램의 제목이 뜬다.

〈전원일기〉, 1980년 10월 21일에 첫 전파를 탄 이래 무려 1088회로 종영한 명실상부 우리나라 최장수 드라마다. 처음에는 종종 채널을 돌리다가 만나면 멈춰서 재미있게 보곤 했는데 요즘은 아예 드라마 시간을 찾아 알람을 맞춰놓고 기다려서 본다.

오늘 회차는 마을의 근실한 자국으로 홀어머니를 모시고 사는 '창수' 청년과 고운 외모와 달리 어려서부터 공장일이며 농사일 등 온갖 궂은 일을 하며 가난한 집안의 생계를 돕느라 산전수전 다 겪은 감나무집 외동딸 '혜란' 의 혼인 에피소드를 다루었다. 혜란이로 말할 것 같으면 결혼 후에도 양촌리에서 '수남 엄마' 와 나란히 투톱으로 꼽히는 미모의 개똥 엄마가 아닌가. 이른바 이 에피소드는 미모의 혜란이가 그 가늘던 허리에 개똥이를 업고 친친 둘러맨 포대기를 시그니처로 하는 개똥 엄마가 되는 썰인 셈이다. 내친 김에 썰을 제대로 풀어볼 심산이다.

혜란이는 어깨에 다소 과장된 러플이 들어간 짙은 회색의 원피스를 입은 채 막 맞선을 보고 마을로 들어오는 길이다. 마침 비닐하우스를 손보고 있던 창수를 마주치며 둘은 다투기 시작한다. 혜란은 애원과 원망이 섞인 목소리로 말한다.

"진짜 이렇게 가만히 있을 거야? 우리 아빠한테 가서 읍내 가서 가게 하라시면 가게를 하겠다, 홀어머니 안 모시고 분가해서 살라시면 분가해 살겠다, 혜란이 고생 안 시키겠다, 혜란이 저 주세요, 이렇게 가서 말이라도 좀 해봐!"

먼 산을 바라보며 혜란의 원망을 고스란히 받은 창수도 고개를 툭 떨어뜨리며 입을 뗀다.

"난 못해. 아저씨가 바라는 그런 거 할 수도 없고, 니 마음대로 해. 선을 봐서 다른 데 시집을 가든지 어쩌든지 니 마음대로 하라고!"

답답한 혜란이는 창수에게 더욱 다가서며 물었다.

"왜 못해! 그냥 거짓말이라도 하면 되잖아! 나를 좋아한다면서 그것도 못 해! 결혼을 해 놓으면 그 다음엔 우리 둘이 열심히 살면 되잖아. 나한테 그렇게 자신이 없어?"

창수도 이제는 체념 조다.

"그래 자신 없어. 난 너 고생 안 시킬 자신이 없어. 그러니까 니 마음대로 해!"

내 딸 같으면, 끝까지 니 마음대로 하라는 저 비겁하고 답답한 놈한테 가서 산전수전에 공중전까지 보태며 그 고운 피부며 그 여린 가슴 까맣게 태울 그 길을 가지 말라, 결혼은 인생의 수많은 선택 중 하나일 뿐이니 우선 너로서 발전할 길을 열어봄이 어떠하냐고 머리채를 잡아 데리고 왔을 텐데 절로 복장이 터진다.

이때 이 연인의 다툼을 수풀 너머에서 나보다도 안타깝게 지켜보는 이가 있었으니 바로 김회장댁 안주인이었다. 이 둘의 처지를 딱하게 여긴 김 회장댁 안주인은 감나무집 혜란네 가서 창수 총각을 반대하는 혜란 아버지의 속내를 파악하고 창수 총각이 혜란 아버지를 한 번 찾아가도록 설득한다.

혜란 아버지는 김 회장댁 안주인을 바로 쳐다보지도 않고 말했다.

"혜란이를 좋아한다는 놈이 여자 집안에서 반대 하고, 여자가 선을 보고 다니고 해도 그 처가 될 집에 코빼기도 안 비치고 이렇다 저렇다 무슨 태도가 없습니다, 저런 놈을 뭘 믿고 혜란이를 시집 보냅니까! 절대 안 됩니다."

창수는 마을의 사랑방 쌍봉댁네 슈퍼에서 응삼이의 응원을 받으며 아무리 마셔도 취하지 않는 소주 한 병을 거의 다 마시고 혜란네를 찾아간다. 어렵사리 혜란네 안방에 입성한 창수는 허연 턱수염이 긴 얼굴을 부러 돌리고 앉은 혜란 아버지 앞에 무릎을 꿇고 앉는다. 혜란 아버지가 다짜고짜 묻는다.

"전답 팔아 읍내 가서 가게 해 먹고 살 수 있겠는가"

"네."

"홀어머니 남겨두고 분가할 수 있겠는가"

"네."

이를 악물고 혜란이 시키는 대로 고분고분하게 대답을 했건만 잠자코 듣던 혜란 아버지는 농사꾼이 어떻게 전답을 돈에 팔고 가게를 해 먹고 사느냐, 혼자 계신 어머니를 버리고 여자랑 나가서 사는 게 말이 되냐며 별안간 벌떡 일어나며 호통을 친다. 종잡을 수 없는 예비 장인의 호통에 화가 머리 끝까지 난 창수도 이때는 진작부터 참아왔던 할 말을 시원하게 쏟아내고는 혜란네를 뛰쳐나온다.

그런데 창수 총각의 마지막 패기에 덩실덩실 춤을 추며 슬며시 미소를 띠는 혜란 아버지! 동네 상농사꾼인 '예비 장인'이 바라는 일등 사위는, 우리 딸을 얻기 위해 자신을 낮출 줄 아는 용기와 옳다고 생각하는 일에 대해서는 눈에 칼이 들어와도 타협하지 않는 패기였던 것이다.

다음 달 보름으로 혼사가 잡히고 어려서부터 같이 키우다시피 한 동네 총각과 처녀가 결혼을 한다니 동네 어르신들이 기뻐서 술을 한 잔 하러 간다. 중매를 서준 김 회장네로 고마운 창수 엄마가 와서 저고릿감을 쥐어 주고 가고, 고마운 혜란 엄마가 와서 치맛감을 쥐어 주고 가고, 그 비단 옷감을, 김회장과 펼쳐보며 참 곱지요?, 하고 만져보는 김회장네 안주인.

일용 엄니는 일전에 혜란네 창수 중매 서러 갔다가 혜란 아빠에게 딸 가진 유세만 듣고 와서 한 판 싸우고 온 일이 있었지만 그런 일쯤은 다 잊어버린 듯, 동네 경사에 금세 손뼉을 치면서 자기 일처럼 좋아한다.

"어이구, 잘됐다, 그거 참 잘 됐다, 떡 얻어먹겠네." 하고 제 일처럼 환하게 웃는다.

함이 들어오는 날, 김 회장네 큰 며느라와 둘째 며느리도 흥이 나서,

"어머님, 저희 구경 갔다 올게요." 하고 궁뎅이 가볍게 팔짱을 끼고 나간다. 혼사가 있는 집에는 벌써 오징어 가면을 쓴 함진 애비가 오징어처럼 어슬렁어슬렁 들어온다. 바람잡이 응삼이는 양쪽 귓구멍에 담배를 끼고 신부댁 어머니에게 첫 협상안을 내 놓는다.

"술 한 잔 들어가야 함이 들어가겠다는데?"

바람잡이의 말이 떨어지기가 무섭게 대령한 막걸리 한 사발을 단숨에 들이킨 함진아비는 딱 한 걸음을 옮기는 듯 하더니 다시 멈추고,

이에 응삼이가

"안, 안, 안주가 없어서 못 들어가겠다는데?" 하고 두 번째 협상안을 내 놓는다. 이번에는 과연 큼직한 고기 안주로다가 함진아비 입을 두둑하게 채운다.

혼삿집 담벼락 뒤에는 김회장 댁 두 며느리, 일용 엄니랑 그 며느리, 쌍봉댁, 부녀회장, 삼삼오오 동네 아주머니들과 동네 어르신들, 집집이 동네 아이들까지 동네 사람들 면면(面面)이 한가위 달덩이 마냥 환하게 떠서 궁금해 죽겠다는 눈동자들을 빛내며 모여 있다.

다 같이 안타까워하고, 다 같이 기뻐하고, 다 같이 가슴을 치고, 다 같이 재밌게 구경을 하고, 다 같이 살아가는 사람들. 젊은 사람 늙은 사람 잘난 사람 못난 사람 구별 없이 한 데 어울려 같은 표정을 지으며 살아가는 서로 닮은 사람들의 모습이 여럿의 강줄기가 합수하여 바다로 흘러가듯 자연스럽게 녹아 있는 〈전원일기〉는 매회의 모든 장면이 감명 깊다. 오늘처럼 살기(殺氣)로 가득한 저녁 뉴스에 서늘해진 마음에 호, 호 입김을 불어준다.

출근길 버스 정류장에서 버스를 기다릴 때였다. 까만 모자에 까만 마스크를 쓰고 한 손은 주머니에 넣은 채 주위를 두리번거리며 걸어오는 남자가 있어 괜히 두어 걸음 정류장에서 멀리 서 있었다. 다행히? 그 남자는 내가 타는 버스를 타지 않았다. 휴-, 1시까지 출근해야 1시 30분까지 자료 복사를 마치고 2시에는 강의를 시작할 수 있을 텐데 버스 기사님이 갑자기 클랙슨(경적)을 부술 듯이 누르신다. 2차

선 좁은 도로에서 한 차선을 막은 채 등원생들을 기다리는 노란 학원 버스가 불법 주정차 중이었다. 노란 버스는 지각하는 친구를 약 5분 정도까지 기다려준 뒤에 임박한 수업 시간에 학생들이 지각하지 않도록 출발하겠지? 길을 막고 선 노란 버스에 화가 난 버스 기사님은 노란 중앙선을 넘어 노란 버스 운적석 즈음에 시선을 맞추시더니 창문을 열고 닫힌 상대편 버스 운전석을 향해 삿대질을 퍼붓고서야 다시 출발했다. 휴-. 2시부터 5시까지, 6시부터 9시까지 예정되어 있던 강의도 무사히 마쳤다. 그 사이 1시간의 공강에 알뜰하게 잡혀있던 상담 약속이 취소된 덕에 커피를 1잔 더 마실 수도 있었다. 오늘도 나의 시간표는 하루 종일 쫓아다니는 초침에 입술이 타들어가는 것도 모자라 온몸의 피가 바싹 마르다시피 할 즈음에야 나를 놓아주었다.

양촌리의 사람들이 묻는다. 촌각(寸刻)의 비효율도 허락하지 않는 고효율의 시간표 안에서 하루 1잔, 운 좋으면 2잔의 아이스 아메리카노에 불신과 불안과 분노를 희석하여 마시는 이런 하루를 삼백 육십오일 반복하는 이 생활은 괜찮은가. 불신하지 않는 척, 불안하지 않은 척, 분노하지 않은 척 전심전력을 다하여 웃느라 오늘도 일그러진 얼굴 근육에 한 번 더 억지웃음을 주문하며 오늘도 수고했어, 하고 나누는 귀가 인사는 정말 괜찮은가.

비밀번호를 누르지 않아도 대체로 열려 있는 문으로 감나무 집에는 장가를 들고 싶은 창수가 왔다 가고 회장님댁에는 장가들게 해줘서 고마운 창수 엄마가 왔다 간다. 메신저로 며칠 전, 몇 달 전부터 날짜

와 시간과 장소를 정하고 핸드폰 알람 설정을 시간대별로 해두지 않아도, 볕이 좋아서 집안 이불청을 다 뜯어 들고 나간 개울가에는 제일 반질반질한 너럭바위에 이불 빨래가 한창인 수남이네가 와 있다. 복길이네도, 부녀회장도, 쌍봉댁도, '오늘 볕이 좋지요?' 하고 가게 문을 열어둔 채로 온다. 비가 오면 부추 지짐이를 들고, 눈이 오면 찰시루떡을 쪄서 이 문에서 저 문으로 들고 난다. 해가 뜨면 경운기를 끌고 달이 뜨면 막걸리를 걸러다가 논둑 길을 오고 간다.

마음에 없는 말도 날선 말도 없다. 입 둘레 근육만 사용해내는 선웃음도 쥐어짜는 행동도 없다. 물론 억 소리 나는 아파트도 영문 엠블럼이 찬란한 세단도 없다. 전원일기에 심취해 있으면 나는 아파트를 나가 때가 되면 뜨고 지는 해처럼 달처럼 오늘을 살아가는 사람들 속에으로 들어가고 싶다. 감나무 집 함 들어오는 날 그 낮은 담벼락 위에 뜬 달덩이들 중 하나로 얼굴을 섞고 싶다. 그들 중 아무나와 함께 자동차 시동을 끄고 복길이 아빠의 경운기를 빌려 지평선을 달리고 싶다.

어느 새 건조기 종료 알림이 울린다. 금세 마른 빨래를 개며 생각한다. 세탁기, 건조기 덕에 번 시간과 손목의 건강이 이득일까, 개울가에 쪼그리고 앉아 반 나절의 시간과 비틀린 손목을 주고 얻어 들은 혜란 처녀와 창수 총각의 혼사가 더 이득일까. 아, 살붙이 같은 동네 아주머니들과 반나절을 마음껏 터트린 함박웃음에 마음속 가득 담아가는 포근한 햇볕도 빼놓으면 반칙이다.

오늘도 머릿속 계산기는 바쁘게 돌아간다.

끈다.

끈다

핸드폰의 모든 알림 설정을 끈다
나는 모르는데
나를 알고 있는
모든 번호를 끈다

티브이 전원
멀티탭 전원을 끈다
마루와 부엌, 식탁
작은 아이가 잊은 책상
큰 아이가 잊은 간이벽의
효율이 좋은
LED등을 끈다

당신이 출장을 가고 비운 침실의 등을 끈다
아침도 시리얼로 대충 먹여 보냈는데
저녁도
어머님이 지난 명절에 싸 주신 메추리알 몇 개랑
엄마가 지난 명절에 싸 준 연근 몇 개에

시원치 않게 떼우고 자러 들어간
깡마르고 작은 아이 걱정을 끈다

그래도 어제보다는 오늘, 얼마간 더 공부를 하고
그래도 어제보다는 오늘, 배드민턴 강습과 수학 학원 덕분에 핸드폰을 얼마간 덜 쥐고 있는
그래도 어제보다는 오늘, 제법 웃어주는
큰 아이 걱정을 끈다

"네가 힘들다는 것을 안다고 내가 덜 힘든 것도 아니다." 라고 적은
몇 년 전 당신의 메신저 메시지를 자꾸만 생각나게 하는
몇 달째 이어지고 있는 지방 출장 생활에
그나마 조금 붙어가던 살이
도로 홀쭉해진 당신 생각을 끈다

나는 서울에서
당신은, 서울로부터 족히 300Km 쯤은 멀리 있는 남쪽 지방에서
하루 1회 이상은 보내는
'밥 잘 챙겨먹고 다녀' 하는 알람 소리 같은 말에도
금세 코끝이 뜨끈해지는
우리의 안쓰러운 생활을 끈다

곁에 있어도 그리운 당신이
곁에 없으니
그리운
밤을
끈다

간밤에 찾기조차 포기하게 만들었던 리모컨을 오늘 아침 소파의 방석들 틈에서 찾아 덩달아 찾았다는 타인의 소박한 행복에
부질없이 나를 돌아보며 그처럼 행복하지 못하는 나를 향한
가혹한 혼꾸녕도
끈다

슬퍼도 괜찮아
그리워도 괜찮아
행복하지 않아도 괜찮아
걱정 깊어도 괜찮아

부질없는 걱정
울밖에 없는 슬픔
비울수록 커지는 그리움
머언 행복

그 무거움으로
충분했던
오늘을 끈다

잠시
이 순간을 끄는 것만으로
충분한

'나'
를
끈다

괜찮다
충분하다
오늘도
애썼다

"소파 방석들 틈에서, 어젯밤 이후로 안 보이던 리모콘을 찾았어요. 너무 행복하네요."

라디오 주파수를 맞추자마자 소개된 한 청취자의 사연을 듣고 무심코 알게 된 타인의 소박한 행복에 습관처럼 나를 돌아본다. 도대체 뭐가 문제일까. 때마침 옆 차선에 나란히 정차하고 선 장애인 학교 셔틀

버스를 보고는 옆에 타고 있던 막내가 또 하나의 행복을 전한다.

"엄마, 장애가 있어도 마음이 행복한 사람들이 많다. 저렇게 셔틀버스를 타고 학교를 갈 수 있는 것도 되게 행복한 일이래."

이번엔 저 노란 버스가, 우리 막내의 얽히고설킨 기억의 회로 속에서 언젠가 우연히 본 장애인 가족의 인터뷰 기억을 꺼냈나보다.

"맞아, 행복은 마음 먹기에 달려 있지."

뒤죽박죽 얽히고설킨 타인의 행복 속에서 막내의 등굣길 배웅을 마치고 그 길로 이른 출근을 한다.

안다

행복은 마음속에 있다는 것을

간밤에 결국 찾기를 포기하게 만들었던 리모콘을 무심코 앉은 소파 방석의 틈에서 발견할 때 얼마나 기쁜지

장애가 있어도 셔틀버스를 타고 학교에 가서 또 한 가지를 배울 수 있음을 그들이 얼마나 기뻐할는지

하기에

오늘 지금 우리가 이처럼 사랑하는 너와 함께 맑은 인사를 주고받을 수 있음이

얼마나 행복하고도 남는지

감사하고도 남는지

안다

그런데
마음은 자꾸만 묻는다

“뭐가 문제일까.”

그러고는 운다
함박눈처럼 펑펑
막 태어난 아이처럼 엉엉
세상의 답지를 베껴 쓰다 운다

자러 들어가며 스위치를 내리면 따라 내리는 어둠처럼
이 순간 모든 ‘초조’와 ‘번잡’을
끈다

다시
스스로 켜지고 싶을 때까지

살아있는 값

이런 거 저런 거 다 겪고

이 방법 저 방법 다 써 보고

이런 어려운 일들이 살아있는 값이구나

'나'는

참

비싼 사람이구나.

너로 충분하다.

충분해,

너로

마음에 온실을 지어주는 말

태지(胎脂)도 다 떨어지지 않은 채 갓 태어난 핏덩이에서 사회를 구성하는 어엿한 어른으로 성장하기까지 우연 혹은 필연적으로 한 사람에게 던져지는 말들은 오랜 세월의 담금질 속에서 삶을 대하는 그 사람의 내면으로 거듭난다.

'따뜻한 말' 이 키운 사람은 그 말들이 지은 온실 속에서 세상살이의 풍파에 언 마음을 녹일 시간을 갖고 때로 자신을 얼려버린 세상을 더 아늑한 말로 끌어안고 살아갈 힘을 얻는다. 모진 말들이 키운 사람은 자기도 모르게 벼려온 마음의 칼날을 자기를 몰아세운 세상을 향해 서슬 세우며 궁극에는 자신을 몰아세우느라 살아갈 힘을 잃는다.

"미쳤어 안 돼 안 된다구 참 못났다 그게 뭐야 제 정신이야 니가 사람이야 도대체 잘하는 게 뭐야 짜증나 머리가 그렇게 나빠서 어디다 쓰니 정말 너밖에 모른다 넌 없는게 나아 너만 없으면 행복하겠어 너 때문이야 넌 진짜 최악이야."

이렇게 써 내려가는 것만으로도 숨 막히는 말의 칼은 인생의 막다른 골목에서 길을 잃고 헤맬 때면 어김없이 찾아와 자비 없이 나를 베고 또 베어낸다. "그것 봐, 넌 최악이야. 넌 이 정도밖에 안 돼. 포기해." 라며 나를 뿌리째 부정하고 나락으로 떨어뜨린다.

"눈이 참 예쁘다 어쩜 이렇게 잘하니 너를 보면 웃음이 나 하루 종일 네가 보고 싶었어 고마워 너랑 있으면 정말 행복해 나도 좋은 사람이 돼 주고 싶어 손이 참 따뜻하구나 너는 생각만 해도 즐거워 너랑 즐거운 일을 하고 싶어 너에게 편지를 썼어 너는 세상에 단 한 송이밖에 없는 꽃이야 너의 눈은 별처럼 빛나 널 만나서 다행이야 내 옆에 있어 줘서 고마워 사랑해."

소리내 보는 것만으로도 미백 크림을 바른 듯이 얼굴빛이 맑아지는 말의 꽃은 삶의 절벽에 선 두려움에 떨고 있을 때면 어김없이 찾아와서는 향기로운 손을 내민다.

"괜찮아. 너는 따뜻하고 사랑스런 사람이잖아. 다 잘 될 거야. 넌 또 해 낼 거야. 넌 언제나 최고니까. 난 널 믿어." 라며 다시 나를 믿고 사랑할 용기로 벼랑 끝에서 천천히 '자기' 를 구하게 한다.

아빠에게서 전화가 왔다. 먼저 전화를 거는 일이 1년에 두어 번이나 있을까 싶은 일이기에 무슨 일이 있는가 하고 긴장을 곤두세운 목소리로 통화 버튼을 눌렀다.

"밥은 잘 먹고 사냐? 뭐 필요한 건 없냐?"

다행히 아주 평범한 평일 오후에 걸려온 전화답게 지극히 보통의 안부 인사였다. 고교 동창, 직장 동료, 동네 지인과 아들 친구의 엄마와는 일주일에 두어 번도 묻곤 하는 이 보통의 안부를 아빠와 나눠본 적이 있었던가. 의외의 여운에 잠긴 나도 금세 정신을 차리고 보통의 대답으로 응수했다.

"네, 밥 잘 먹고 다니죠. 아빠도 잘 지내시죠?"

아빠의 손가락은 이미 '종료' 버튼을 터치할 준비가 끝난 듯했다.

"됐다! 밥 잘 챙겨 먹어라."

'네', 라고 대답할 겨를도 없이 안부 확인 임무를 마친 전화는 아빠의 목소리만큼이나 무심히 끊어졌다. 1분도 채 넘기지 않고 끊어진 전화가 무색하게 가슴팍이 뻐근하게 저려왔다. 이내 횡경막이 느슨하게 올라붙으며 밀려오는 날숨을 길게 내뱉고서야 아직 귀에서 떼지 못한 전화를 내려놓았다. 점심 식사를 거른 차였는데, 잘 먹고 다닌다고 거짓말을 한 탓인가. 아빠와의 통화가 남긴 여운은 꽤 길었다. 아주 불시에 지금까지도 그 짧은 통화가 생생하게 되살아나서 거르려던 끼니를 아빠한테 혼날까봐 일부러 챙겨 먹는 날이 있을 정도였다.

말, 그 중에도 '가족'이 건네는 '말'은 이 별스러울 것 없이 일상적인 단어 몇 개의 조합만으로도 심금을 휘젓는 힘이 있다. 가장 오랜 시간 가장 가까운 거리에서 낯익은 목소리로 묵직하게 스며드는 식구의 '말'은 공기와 같다.

탁한 말의 공기는 삶을 억압하고 맑은 말의 공기는 삶을 치유한다. 그래서 가족의 '말'은 적어도 '칼'은 아니어야 한다. 아니 '꽃'이어야 한다. 보통의 단어만으로도 가족의 목소리는 그것을 꽃으로 피우는 주술을 가졌기에 가족의 '말'은 날을 세우지 않아야 한다.

우리는 세상의 사랑을 받으려 부질없는 생애를 바치곤 한다. 얼굴에는 집에서 나갈 때만 바르는 분을 칠하고, 두 입술은 집에서는 한 번도 해보지 않은 말을 하느라 바쁘다. 그러나 우리의 삶을 지속하게 하는 것은 두꺼운 분칠도 바쁘게 굴리는 말도 아니다. 부질없이 표류하는 삶에 이정표를 세우고, 드디어 이 삶을 힘 있게 나아가게 하는 것은 바로 다만 내가 태어났으므로 쏟아지던 가족의 사랑, 그리고 그

기름진 사랑의 땅 깊이 뿌리를 내리고 나 자신을 향해 자라나는 사랑이다. 잔뜩 분칠한 얼굴과 겉도는 주술로 얻은 세상의 사랑은 분칠을 벗고 주술력을 잃는 순간 먼지처럼 떠나는 것이다.

우리가 가진 소중한 마법을 가족을 향해 발휘해 보자.

퇴근한다. 현관문을 열면 이 방 저 방에서 건성으로 "왔어?", 하는 소리가 들린다. 바로 이 때다. 마법의 가루가 필요한 시간.

"우리 사랑하는 큰 아들, 작은 아들, 남편~! 오늘도 밥 잘 먹고 재밌게 지냈어?"

눈 밑 그늘이 어둑어둑한 민낯으로 전하는 엄마의 주술이 최선을 다해 오늘 각자의 수고를 씻는다. 뽀드득 뽀드득.

내 사람들을 필사적으로 지켜줄 꽃 향기 아늑한 온실을 짓는다.

그대들은 아직 모를지라도,

'나'로 사는 것

입 짧은 아이는
입에 맞는 것 잘 먹는 데 감사하고

버거운 사회생활은
'나' 를 찾는 필요 있음에 감사하거나
깨끗이 승복하고 내려놓고

공부가 어려운 아이,
스스로 책 펴들고 오면 같이 읽어주고

보기 싫은 사람 만나지 말고
보고 싶은 사람 달려가 보고
듣기 싫은 말
귓등에 미끄럼 태워 보내고
하고 싶은 말
두 입술 사잇길로 흘러가게 두고

이만큼 이루고 사는 데 넘치게 여기며
살림살이 줄이고
마음을 넓히면 되는데

왜
이렇게 말처럼
하나도
쉽지가 않을까

심사숙고 끝에 물냉면을 시켜놓고 뒤돌아서며
회냉면 시킬 걸, 변덕맞은 '나'
로 사노라면

어느 날은
머리카락 한 올부터 새끼발가락 하나까지
안녕히 둘 데가 없다

길 위의 사진

겨울엔 폭신한 눈 뭉쳐 '눈 오리' 가족을 만들고

여름엔 새하얗게 밀려오는 파도에 실려 바다의 품에 안기고

가을엔 단풍나무 줄지어 선 길에서 한 장 나뭇잎으로 물들고

그리고 봄이면 그 잠깐 날 좀 보라고 앞다투어 피어나는, 우리 아이들 같은 꽃들에 눈 한 번 지그시 맞추고 오는 것그래서 살다가 괴로움 참기 어려울 때

같이 눈놀이하던 그 겨울

같이 걸었던 그 꽃길 기억하면서

그래도 헛살지 않았다고 무거운 한숨 쓱 쓸어 담고 가던 길 의연하게 걸어 나가는 것 쉼 없이 달려와 보니 오히려 뒤처져 있는 걸음

더 캄캄해진 그림자

강의 계획서 들고 강의실마다 쉼 없이 뜀박질하고 다녔지만

주머니에는 언제나 어제를 소모한 영수증들뿐 큰아이 좋아하는 핫케이크도 굽고

작은 아이 사회 시험도 머리 맞대고 준비했는데

왜 나의 아이들은 더 마른 것 같고 사회 점수도 낮은 것 같고 그 모든 모자람은 다 내 잘못인 것만 같을까

'엄마' 가 건강해야 한다고 오메가니 비타민이니

잘 보이는 곳에 두고 챙겼건만

만성 비염, 구내염, 설염 등 갖은 염증이 온 몸에 '긍정의 아이콘'을 자처하며 억지웃음이라도 힘주어 지었건만

강의 영상 속 한껏 톤을 높여 웃는 나의 표정은

툭 건드리면 울거나 화를 내기 직전인 듯 아찔하다

숱한 날들 수천의 술잔과 커피잔을 비웠지만

감당할 수 없는 슬픔도

감당할 수 없는 기쁨도 나눌 곳은

시끄러운 TV 화면에 어려 보일듯 말듯 우두커니 마주 앉은 '나' 뿐이게 사는 건가

부질없이 연명해가는 사이 세월은 무참히도 흘러서 흔히들 그러하듯

'너희들은 엄마처럼 살지 말라' 고

후회의 유언장을 쓰며 땅을 치고 있을 때는 이미 너무 늦은 것이 아닌가 누구보다 확신에 차서

'사람은 행복을 추구하며 살아야 한다' 고 맥주잔에 거품 물던

'너' 는

'나' 는어디에 있는지….사는 게 어려운 건지, 내가 어렵게 사는 건지

더 늦기 전에

'뭔가 다른 것을 원하며 살고 싶다' 는 갈망은

걷다가도 웃다가도 밥을 뜨다가도 손을 씻다가도

버스에서 내리다가도 주문한 커피를 기다리다가도

칠판에 다음 주 과제를 판서하다가도

하려던 일을 멈추게 하는 망상일 뿐

파도타기 좋은 여름에는
벌겋게 익은 피부의 허물까지 벗겨내는 폭염에
눈놀이에 설레는 겨울에는
털신을 뚫고 들어와 엄지발가락을 꽝꽝 얼려놓는 혹한에
씩씩거리며 뒤통수를 맞고 있자면
나는 새삼 깨닫는다

간절히 원하던 거기에도 도달해보면 원해본 적 없는 삶이 있다는 것
계획에 없던 고단함이 있다는 것
오랜 수고를 바쳐 기도하던 무엇도 이루고 나면
또 다른 무엇에 대한 갈망으로 금세 목마르다는 것

삶은 '도달' 에 있지 않고
도달하러 가는 '길' 에 있다
우리는 '도달' 을 목표로 달리지만
갈망은 그저 우리 삶이 걸어갈 '길' 을 만들어 갈 뿐 아닌가

미간을 찡그리며 사력을 다해 도달하는 곳은 어디일까
거기에서 우리는 얼마나 오랫동안 행복할까.

삶은 걸어가는 '길' 이다
죽음은 '길' 의 끝에서 드는 잠이다

삶의 길에는 산도 있고 바다도 있고 꽃밭도 있고 사막도 있다
아침에는 등허리가 젖도록 흥건한 땀을 닦으며 산을 오르고
저녁에는 한 척의 고깃배에 실려 보랏빛으로 물드는 바다를 건넌다

꽃밭을 만나면 꽃마다 이름을 한참이나 붙여보아도 좋다
사방이 뚫린 감옥과 같은 사막에서는 조갈증을 면할 오아시스나 고단한 다리를 쉬일 낙타라도 만나면 요행하다
우리가 도달해야 할 곳은 삶의 길 어디에서나 자유로운 자기 자신이다

눈앞에 놓인 무질서한 길들 사이에서 삶은 여전히 불안하다
그런 때
그래도 헛살지 않았다고 눈물 쓱 닦고 다시 의연하게 이 삶을 걸어가게 할
같이 놀았던 그 겨울
같이 걸었던 그 꽃길
같이 있으면 즐거웠던 '너' 와의 사진 한 장

삶은
무한히 도달하려 보채는 걸음을 붙잡고
스르르 감기려 떠나는 눈꺼풀을 붙잡고
사랑했던 한 계절

그

사진 한 장

성실하게

놓는

길

수고했어, 오늘도

멀리서 보면 이 길도 평지와 같을까? 간간이 만나는 이정표에는 분명 얼마 남지 않았음을 가리키는 정상이 과연 있기나 한 건지 산길은 몇 번이나 발길을 돌리고 싶게 험준하다. 산은 내려가라 내려가라 떠미는데 허약한 두 다리를 벌벌 떨면서도 다시 힘주어 오르는 이유가 무엇일까. 이 험준한 길을 올랐다가 잔뜩 긴장된 다리로 후들거리며 내려오면 고작 제 자리로 돌아와 있을 게 뻔한 데 말이다.

답이 없을 것 같은 물음표를 들고 무작정 산길을 오르다 한 그루 나무 앞에서 걸음이 멈춘다. 뼈 마른 삭정이, 산발한 고엽(枯葉)들이 뒤엉킨 사이에서 더는 새빨간 생명의 증거를 매달지 않는 나목(裸木). 나는 분명히 이런 얼굴을 만난 적이 있었다. 앞서 올라가는 사람들의 배낭을 따라 부질없는 걸음을 옮기며 내려가지도 달려 올라가지도 못하고 어정쩡하게 서서 우물쭈물하던 '나' 의 얼굴.

머뭇거림을 멈추고 나무 옆에 고단한 몸뚱이를 내려놓는다. 지독한 세월 전력(全力)으로 붙들고 선 나목의 뿌리를 우리 막내 앓는 배 쓸 듯 가만히 쓸어주고 있으니 멀리서 시(詩) 한 구절이 오래된 질문에 답해 온다.

- 무엇에 쫓기듯 살아가는 이들도 힘이 다하여 비칠거리는 발걸음들도 무엇 하나씩 저마다 다져놓고 사라진다는 것을 뒤늦게나마 나는 배웠다. 그것이 부질없는 되풀이라 하더라도 그 부질없음 쌓이고 쌓여서 마침내 길을 만들고, 길 따라 그 이들 따라 오르는 일 이리 힘들고 어려워도 왜 내가 지금 주저앉아서는 안 되는지를 나는 안다.

나의 부단한 걸음마다 다져지는 길. 한층 단단해진 흙을 다음 사람이 밟고 그 다음 사람이 밟아 미더운 산길을 만든다.

나목(裸木). 너는 어릴 적 내가 심은 씨앗이다. 꿈 많던 씨앗, 한 점 구름 향한 사랑으로 다 태워버렸더라도 괜찮다. 구름은 단비의 어제일 뿐. 곧 단비 내릴 테니 고단한 뿌리 끝까지 흠뻑 적셔 내일도 생명의 증거가 되어주렴. 오늘도 무거운 하루 지탱하느라 수고했어.

그걸로 충분히 사랑스러운 너야.

- 이 길을 만든 이들이 누구인지를 나는 안다
이렇게 길을 따라 나를 걷게 하는 그 이들이
지금 조릿대밭 눕히며 소리치는 바람이거나
이름 모를 풀꽃들 문득 나를 쳐다보는 수줍음으로 와서
내 가슴 벅차게 하는 까닭을 나는 안다
그러기에 짐승처럼 그 이들 옛 내음이라도 맡고 싶어
나는 자꾸 집을 떠나고

그때마다 서울을 버리는 일에 신명나지 않았더냐

무엇에 쫓기듯 살아가는 이들도
힘이 다하여 비칠거리는 발걸음들도
무엇 하나씩 저마다 다져놓고 사라진다는 것을
뒤늦게나마 나는 배웠다
그것이 부질없는 되풀이라 하더라도
그 부질없음 쌓이고 쌓여져서 마침내 길을 만들고
길 따라 그 이들 따라 오르는 일
이리 힘들고 어려워도
왜 내가 지금 주저앉아서는 안 되는지를 나는 안다

– 이성부, 〈산길에서〉*

나의 부단한 걸음마다 길이 다져진다. 한층 단단해진 흙을 다음 사람이 밟고 그 다음 사람이 밟아 미더운 산길을 만든다.

나목(裸木). 너는 어릴 적 내가 심은 씨앗이다. 꿈 많던 씨앗, 한 점 구름 향한 사랑으로 다 태워버렸더라도 괜찮다. 구름은 단비의 어제일 뿐. 곧 단비 내릴 테니 고단한 뿌리 끝까지 흠뻑 적셔 내일도 생명의 증거가 되어주렴. 오늘도 무거운 하루 지탱하느라 수고했어.

---

* 출처 : 이성부 〈지리산〉 (창작과 비평사, 2002)

나의 이유

나는 아직 강아지를 키울 준비가 되지 않았다. 그런데 강아지를 데려왔다.

"엄마, 나 강아지만 있으면 혼자 있어도 혼자라는 생각이 안 들 것 같아."

엄마가 출근하면 오랜 시간 혼자 집을 지키며 영어, 수학, 국어 문제집을 풀어놓는 기특한 아이. 막내 아이의 말을 99번째쯤 되뇌이던 날, 나는 아기강아지를 분양받기로 했다. 남편의 휴대폰 화면에도 자동차 시승 후기 대신 온갖 집의 온갖 강아지들이 놀고 있기 시작한 지 꽤 되던 날이기도 했다.

강아지를 데려온 건 순전히 막내 아이와 남편을 위해서다. 맞벌이를 하는 부모 때문에 혼자 보내는 시간이 많은, 나를 닮아 외로움을 많이 타는 막내가 혼자 있어도 외롭지 않게 해주고 싶었다. 퇴근 후면 영화를 보거나 게임을 하는 게 취미의 전부인 남편이 처음으로 미디어가 아닌 것에, 움직이는 생명체에 초롱초롱 밝히는 눈빛을 매일 보고 싶었다. 나와 달리 직장도 취미도 정적인 루틴 속에 무표정에 익숙한 남편의 안면 근육이 똥꼬 발랄 생명체와 함께 마음껏 운동하는 상상은 상상 그 자체만으로도 입꼬리가 실룩거리는 일이었다.

이 집으로 이사를 온 건 순전히 큰 아이를 위해서다. 큰 아이는 김정은 북한 국무 위원장도 두려워서 남침을 주저하게 한다는 중2병을 코로나로 인한 등교 중지 사태 속에서 오롯이 앓았다. 아침 점심 저녁의 구분이 무너지는 것은 시작에 불과했다. 큰 아이가 살아있음을 확인할 수 있는 시간은 요행히 아침 식사를 들고 들어갔을 때, 출석 체크를 위해 휴대폰 키보드를 터치하러 막 이불 속에서 나온 손가락 하나의 까딱임을 목격했을 때가 전부였다. 처음이어서였을까? 아이에게 찾아온 성장통은 아이만의 것이 아니었다. 그때의 1분 1초는 우리 가족 전체에게도 신의 시험대에 오른 듯 처음 겪어보는 가혹한 성장통의 시간이었다. 그런 큰 아이가 그새 많이 자란 큰 키를 온전히 세우고 또박또박 엄마를 불렀다.

"엄마 나 ○○고등학교 가고 싶어. ○○고등학교 운동장 잔디에서 축구하고 싶어."

큰 아이의 칩거를 마치고 입을 열게 해 준 ○○고등학교는 예전 집에서 배정받을 수 있는 학교가 아니었지만, 드디어 온 가족을 힘들게 했던 성장통의 터널에서 나가게 해 줄 동아줄과 같았다.

나는 이사하고 싶지 않았다. 이전 집은 확장한 광폭 베란다 공간에 놓은 넉넉한 멀바우 나무 탁자에 앉아서 보고 싶은 책을 죄다 펼쳐 놓고 언제나 배터리가 가득 차 있는 노트북을 열기만 하면 우선 그것만으로도 마음이 한가로웠다. 식탁에 식구들이 바쁘게 먹고 나간 조식이 덜 치워져 있어도, 소파 테이블에 간밤에 먹고 둔 과자 봉지가 아직 널브러져 있어도 모른 척 눈 돌릴 데가 있었다. 집안일이야말로 눈에서 멀어지면 마음에서도 잠시나마 멀어지는 법이었다. 거실 테이블 뒤 통창 너머에는 아주 높지 않은 산 위에 매일매일 다른 하늘이 선물처럼 펼쳐졌다. 비 온 뒤 무지개가 노을과 함께 보랏빛 하늘을 가로지를 때면, 중2병을 심하게 앓던 큰아이가 끝내 먹지 않아 식은 국이 찰랑거리는 쟁반을 가지고 나오며 종일 어두웠던 마음도 보랏빛으로 물들었다.

어느 날엔 엄마의 늦은 퇴근 때문에 늦은 저녁을 먹던 막내가 대뜸 소리치며 식탁에서 벌떡 일어섰다.

"저거 슈퍼문 아니야? 슈퍼문이다!"

마루의 통유리창에는 정말 드물게 큼지막한 둥근 달이 창문 가득 떠올라 있었다. 달 토끼와 악수라도 하겠다는 듯이 달을 향해 손을 뻗어보는 막내 아이의 옆에 나란히 서서, 학교에서 배워 왔음직한 따끈한 천문 지식을 쫑알쫑알 듣고 있자면, 같은 속도로 튀어나와 퇴근하는 나를 맞이하던 아이의 슈퍼문만 한 외로움이 밀려와 뚫어져라 쳐다보았다.

지금 사는 집에 이사를 온 지 다음 달로 꼬박 1년이 된다. 큰 아들이 가고 싶어했던 고등학교 근처의 아파트. 전용 면적은 10평이 좁아진 대신 거실, 부엌 등 공용 공간이 넓게 지어져 마음에 드는 구조다. 나의 유일한 도피처였던, 1800cm 길이의 멀바우 나무 탁자는 둘 데가 마땅치 않아 헐값에 처분했다. 처음에는 이사와 함께 도피처를 잃은 생활도 생각보다 버틸 만했다. 낮은 소파 테이블에서 리모콘들을 치우고 노트북을 열었다가, 부엌 식탁에서 식구들의 식사와 간식의 흔적을 치우고 노트북을 열었다가, 어느 날은 옛 테이블을 그리워 하면서 짜투리 도피를 이어가는 중이었다.

여기에 계획에 없던 새 식구를 들여놓았으니 '짜투리 도피처' 마저 없어지는 것은 자연스러운 수순이었다. 강아지의 보금자리는 가장 안락한 거실에 꾸렸다. 자연스럽게 거실 테이블도 강아지 용품들로 가득 차 더이상 나의 노트북이 앉을 자리는 없었다. 식탁에도 그릇과 과자 봉지들이 로테이션으로 쌓여있기 시작했고, 소파 테이블과 식탁을 전전하나마 꽤 정기적으로 자리를 잡아가던 나의 짜투리 도피는 중단의 위기를 맞이했다.

나는 강아지를 키우고 싶지 않았다. 이미 벌여놓은 일은 해결해야 할 숙제가 되고 애써 붙잡고 있는 것은 생활을 내리누르는 짐이 되어 나를 갉아먹는 느낌이었다. 고단한 일과 끝에 떨어트린 한숨 한 점조차 놓을 곳이 없는 우리 집에, 나의 생활에 강아지가 뛰어놀 놀이터는 더더욱 찾을 수 없었다. 나는 분명히 그 어떤 숙제도, 한 톨의 짐도 더는 감당할 준비가 되어 있지 않았다.

지독한 성장통에서 나오려는 큰 아이의 손을 잡아주는 심정으로 이사를 했다. 엄마가 없는 시간의 막내가 더이상 외롭지 않고, 무미건조한 남편의 생활이 생명체가 선사하는 리듬 속에서 살아 움직이기를 기대하며 강아지를 분양받았다.

동기가 무엇이든 변화는 그 자체만으로도 흥미로울 것 없는 일상을 설레게 하기에 충분하다. 새로 이사한 집에 로망이었던 시폰 커튼을 달며 두 손 모아 탄성을 질렀다. 시폰의 너울마다 드리워지는 햇살이 알맞은 온도로 거실을 감싸주었다. 내 인생에 처음으로 강아지를 들이는 일은 더 말할 것이 없었다. 한 번도 상상해 본 적도 없는 생활. 온몸을 나의 두 손바닥에 의지한 채 새로운 가족을 만난 두려움에 바들바들 떠는 낯선 생명체의 뽀얀 털을 가지런히 쓰다듬을 때는 우리 셋째 딸, '엄마가 끝까지 지켜줄게' 하고 몇 번을 속삭였는지 모른다.

인생은 끊임없이 선택의 갈림길 위에 놓인다. 얽히고설킨 관계 속에서 풀어야 할 시험지로 가득한 인생은 제 마음이 시키는 일을 맨 뒤로 미루는 일에 익숙하다. 밀린 과제를 해결하듯 해치워버린 '선택'은 때늦은 후회나 선택을 독려한 대상을 향한 원망으로 이어지곤 한다.

이사를 한 뒤 좁아진 집에 적응하는 것은 자주 신경질이 났다. 특히 안방 옆에 바로 붙어 있는 큰 아이의 방에서 새어나오는 소음은 자주 괴로웠다. 해외축구 중계를 시청하느라, 친구와 통화하느라 새벽까지 나의 잠을 훼방 놓는 저 방으로 벌떡 일어나 쳐들어간 날이 몇 날인지 셀 수 없을 정도다.

어느 날 불쑥 거실을 차지해버린 강아지가 제 대소변을 받아내는 배변 패드를 길길이 뜯어 놓는 일은 상상해보지 않은 생활 가운데 과연 일등이었다. 또 어느 날에는 묽은 똥을 하도 싸 놔서 야간에 들쳐 업고 가니 장염이라고 했다. 그런데 2, 3주 간격을 두고 장염이 3번째 반복됐을 때는 보험도 되지 않아 비싼 병원비에, 제가 싸놓은 똥을 밟고 실컷 활보하고 다닌 거실 물청소에, 내가 이 아이를 정말 끝까지 책임질 수 있을까 하는 생각이 들도록 진이 빠졌다. 알고 보니 처음 강아지 산책을 나간 날 무심코 산, 소고기를 주 원료로 하는 간식이 문제였다. 산책할 때마다 칭찬의 의미로 매일같이 여남은 알씩 주었던 그 간식의 유통기한이 두 달이나 넘어 있었던 것이다.

돌이켜보면 그럴 때마다 나를 괴롭히는 것은 곤란했던 각각의 상황보다도 '후회' 와 '원망' 의 마음이었던 것 같다. 큰 아이 때문에 이사를 와서 이 소음을 견뎌야 하는구나, 막내와 남편을 위해 강아지를 들여서 이 고통을 겪어야 하는구나. 첫째가, 막내가, 남편이 원하는 것이 무엇이든 내가 감당하기 두려운 일이었다면 선택하지 않았어야 했다고 후회했다. 조금이라도 이 집에 삶으로 해서, 강아지를 키움으로 해서 생겨나는 문제에 이를 때면 어김없이 마음속 원망의 활시위를 당겨 누구라도 조준하지 않고는 못 배겼다.

하지만 나의 선택이다. 어떤 선택에든 어려움이 있다. 그 선택이 나 아닌 누군가를 위한 '희생' 이라고 생각할 때 그 어려움은 금세 변명이 되고 불행의 씨앗이 된다. 가짜 '헌신' 뒤에 숨어서 한 선택을 빌미 삼아 수시로 무고한 누군가를 원망하고 지난날을 후회하는 것은 비겁하다. 비겁한 민낯을 감추느라 변명하기에 바쁜 삶은 필연적으로 초라하며 불행하다.

'통창 너머의 하늘' 을 누릴 수 없는 집을 10평이나 좁혀서 온 데에도, 배변 패드를 뜯는 기막힌 말썽을 피우는 강아지를 제 두 손에 꼭 품어온 데에도 나의 이유가 있다.

나의 선택에는 언제나 나의 이유가 있다. 지금은 나의 이유를 인정해야 할 때다.

이사, 오래된 동네를 떠나며

내가 오래 품어온 무엇인가를 떠나 보는 것은 거의 처음이었다.

서울시 송파구 P동

8살 때 전학을 와서 처음 마주섰던 'ㅌ' 초등학교

지금은 그 때의 나보다 10살이나 더 많은 큰아들이 오래 전에 졸업한 학교

그 운동장만큼이나 크나컸던 나의 동네

그 품에서

글짓기 우수상을 받았고

졸업식을 마치고 짜장면을 먹었고

고무줄을 같이 하던 친구가 날 버리고 시험공부를 한다고 해서 절교를 했고

우박이 내려서 체육시간에 학교 담을 넘어 가, 입술까지 새빨개지던 떡볶이에 물냉면을 찹찹거리며 먹었고

동아리에서 만난 첫사랑의 고백을 받았고

널 좋아해라고 말하며 그렇게 떨리던 어깨를 벌떡 일으키며 첫사랑이 떠났고

올림픽공원을 네 바퀴씩 돌며 2달간 8킬로그램의 지방을 태웠고

버스를 기다렸고, 놓쳤고, 다시 기다렸고,

도넛 가게에서 아르바이트를 하는데 없어진 도넛 몇 개를 가져간

범인이 나라고 해서

엉엉 울었고, 억울한데 누구한테도 말할 수가 없어서 아무도 들리지 않게 엉엉 울었고

첫 직장에 들어가 몇 년 동안 모은 돈으로 부모님의 차를 사드렸고,

엄마가 소리 내서 웃으셨고, 며칠이나 그렇게 소리내서 웃으셨고

우리 아빠의 독사 눈빛에 찔려, 바싹 마른 입술로

"가능하면, 결혼해도 될까요?" 라고 간신히 입을 떼던, 지금도 얼굴빛이 해사한 남자와 결혼을 했고,

그 남자를 닮은 무심한 첫째 아이와,

나를 좀 더 닮은 언제나 이야기 보따리가 가득한 둘째 아이를 낳았고,

우리 큰아들 친구의 엄마와 일촌을 맺었고,

그 일촌의 친구들과 더 많은 일촌을 맺었고,

어쩌다 일촌을 끊었고

일촌의 일촌들과도 일촌을 끊었고

일촌들과 수없이 나누었던 아메리카노의 향기도, 맥주의 거품도, 따끈한 밥공기의 온기도 웃음소리처럼 눈물소리처럼 떠났고

불쑥 가을이 왔고,

매일 아침 반소매를 입었다 벗었다, 긴소매를 입었다 벗었다 하는 일교차가

얄팍한 마음을 들었다 놓고,

열 번이나 들었다 놓고
미세먼지에 가려지지 않은 하늘이 맑고 푸르고 시리고
두 뺨에 거침없이 다가오는 바람이 말없이 머리카락을 헤집고, 빗어 놓고,

세월이 데려가는,
절대로 빼앗기지 않을 거라고 다짐했던 것들을 기어코 빼앗기고
원망하고 슬퍼하고 끝내 남겨 놓은 그리움같은
무성한 코스모스길을 걷고,
꽃잎마다 다르게 물든 그리움들을 타박타박 주워담고

삼백 육십 오 일씩 서른 해를 하루같이 겪어도
햇볕에 웃고, 환하게 웃고, 까륵까륵거리며 웃고,
굵은 빗줄기에 울고, 깜깜하도록 울고, 꺼이꺼이 울고

더 앞서가려고 그토록 애썼지만, 더 앞서감이란 없으며
더 뒤처질까봐 그토록 마음 졸였지만, 더 뒤처짐도 없으며

삶은 그저 이 찰나임을
한 번 울거나 웃으며 어제처럼 지나가는 것
한때 앞서거나 뒤서는 듯하며 오늘처럼 지나가는 것
지나간 자리에 앉아 끝없는 그리움들 토닥토닥 주워 담는 것

끄덕이고

뼈아프게 끄덕이고

절대로 떠나지 않으리라 마음먹었던

좁디좁은 이 동네의 품을 미련 없이 떠날 준비

사랑했어

나의 동네

폭우가 멈추자 먼 하늘에 걸린 무지개를 발견하듯

불쑥

그리워하기로

오늘처럼

용기

소중한 사람을 지키려면
용기가 필요해요

용기를 내요

미움받을 용기
상처받을 용기 끝에
혼자만 남겨질까

두려워 말아요

종일 낯선 거리를 휘젓고 다니느라 흐늘흐늘 시든 두 팔을
잠든 아이의 둥근 어깨에 둥글게 포개요
잔뜩 움킨 한 줌 모래성을 흘려보내요

흘러가는 모랫길 따라
더불어 웃던 사람들 떠나고
그 틈에 웃는 시늉하던 '나' 도 떠나고
숨김없이 드러난 손금마다 정직하게 새겨진 시간 뼈아플 것 같아도

두려워 말아요

떠나는 사람은 제 가던 길을 가고
시늉하던 '나' 는 처음부터 내가 아니었을 뿐

빠져나갈 것들이 사라지고
허룩해진 손을 잡아요

용기를 내요

올라가면 내려가라 떠밀고
만나면 헤어지라 떼치고
일으키면 무너져라 허물고
얻으려면 잃으라 빼앗고
웃고 있으면 끄억끄억 울라 하는

바닷가 모래 장난 같은 세월의 담금질에
우리의 생활은 수시로 맨땅에 처박히지만

삶은
몸과 마음을 움직이는 것의 문제

지칠 수 있는 당신에게는
일으킬 수 있는 몸이 있어요
슬플 수 있는 당신에게는
움직일 수 있는 마음이 있어요

당신에게는 여전히
용기 낼 힘이 있어요

용기를 내
소중한 사람을 지켜요

내가 지킨 소중한 사람이
나를 지켜요

용기를 내
'나' 를 지켜요

글지기의 책장 #1 질투는 나의 힘 | 기형도*

아주 오랜 세월이 흐른 뒤에
힘없는 책갈피는 이 종이를 떨어뜨리리.
그때 내 마음은 너무나 많은 공장을 세웠으니
어리석게도 그토록 기록할 것이 많았구나.
구름 밑을 천천히 쏘다니는 개처럼
지칠 줄 모르고 공중에서 머뭇거렸구나.
나 가진 것 탄식 밖에 없어
저녁 거리마다 물끄러미 청춘을 세워 두고
살아온 날들을 신기하게 세어보았으니
그 누구도 나를 두려워하지 않았으니
내 희망의 내용은 질투뿐이었구나.
그리하여 나는 우선 여기에 짧은 글을 남겨둔다.
나의 생은 미친 듯이 사랑을 찾아 헤매었으나
단 한 번도 스스로를 사랑하지 않았노라.

---

* 출처 : 기형도 유고시집 『입 속의 검은 잎』 문학과 지성사 1989 수록

2장

그리움만 쌓이네

내 몸에 마지막 피 한 방울
마음의 여백까지 있는 대로
휘몰아 너에게로 마구잡이로
쏟아져 흘러가는
이 난감한
생명 이동

–신달자, 〈그리움〉 전문*

---

* 출처 : 신달자, 〈저 거리의 암자〉 문학 사상 (2023)

버스

넉넉잡아
천 오백 원만 왕복으로 낼 정도의 능력만 있으면
한 두 시간쯤 넋 놓고 기댈 수 있는
아주 어릴 때부터 애용해온 나의 전용 아지트

같은 노선을 달려도
매일 다른 세상 구경은 덤

운 좋게도 비 오는 날은
창가에 최대한 볼을 밀착시키고
유리에 빗발치는 빗줄기들에
잡념을 씻고
눈물을 씻고

한숨을 씻고

징글징글하게도 시간을 거슬러 나를 괴롭히는

잊히지 않는 기억들을

사람들을

잠시나마 잊은 척하고

절친한 한 둘의 벗에게도 일순간도 보여주기 어려운 슬픈 얼굴을

마음껏 드러내고

운다

어젯밤

이유 없이 자기를 모른 척한다는 친구 때문에 잠이 안 온다는 큰 아이 생각에 속을 태우고

그제 밤

얼굴을 보자마자 잠들기 전까지 나의 무릎에 등짝에 딱 붙어서 수다 떨기를 좋아하는 입술을 조물조물 움직이며 쉴 줄 모르는 막내 아이 생각에

쉬고만 싶은 내가 미안해서 속을 태우고

그끄제 밤

직장에서 하노라고 해도 동기들 가운데 나의 실적이 가장 저조해서 일도 가정도 무엇 하나 제대로 하는 일이 없는 나 때문에 모두가 엉망

진창인 것만 같아서 속을 태우고

1주일 전의 어느 밤
그토록 미안하다고 내가 할 수 있는 모든 방법으로 용서를 구했지만, 단 한 번도 나의 진심을 들으려고도 하지 않았던
기어코 그날로 나를 제 인생에서 도려내 버리던
순식간에 마음을 다 주었던
지금도 그리운 한 친구가 야속해서 속을 태우고

수많은 밤을 혼자서 속을 태우는 내가 가여워서 또 속을 태우고
아무것도 묻지 않고 내가 스스로 내릴 때까지
그저 안아주는
버스를 탄다

여수 가는 길

논도 밭도 낮다

파란 집 지붕도 뽀얀 비닐하우스 지붕도 낮다

어쩌다 지나가는 검은 차도 낮게 달린다

나무가 시원하게 뻗어 높다

푸름 무성한 산자락이 높다

산이 닿으려다 주저앉은 자리에

새파란 하늘이 높다

좁은 황톳길을

이웃 몇이서 앞서거니 뒤서거니 간다

넉넉한 강줄기를

떼 지은 물고기들이 촐랑촐랑 간다

자연이 둥그렇게 뻗고 남은 자리에

낮게 낮게 터 일군 인정스런 마을과 함께

여수 가는 길

기어코 하늘을 찌르고야 말겠다는 듯

눈 시리게 세운 유리성 사이
기어코 흙자락 뒤덮고야 말겠다는 듯
캄캄하게 바른 아스팔트 사이
기어코 내 바퀴만 초록 신호에 가겠노라고
허덕허덕 달리는 타인들 사이

아주 조금만 핸들을 틀면
타인의 바퀴를 치고
도로를 마비시키는
빽빽하고 불안한 선의 늪에서
사람 구실을 하느라고
당신은, 나는, 나의 새끼들은
얼마나 애를 썼는지

여수 가는 길
논도 밭도 사람도 몸을 낮추는 여수 가는 길

버스커버스커가 너와 함께 걷고 싶다고 일곱 번을 부르는
그 여수 밤바다에서
우리도 일곱 걸음을 걷는다

내 손에 작은 애

당신 손에 큰 애

그리고 남은 손에 우리

아 생각만 해도 -

여행은 언제나 옳다

여행은
하루의 무게를 채 벗어내지 못한 퇴근길에
맘 맞는 친구 불러내 기다리는 선술집 툇마루에
잠시 벗어놓은
구두같은 것

또는 내 전화번호를 보자마자부터
저도 아무렇게나 벗어놓은 외투 둘러입고
서둘러 나갈 채비를 했노라는
오랜 벗 같은 것

매일매일 친정 엄마가 담가다 준 배추김치, 총각김치만 먹다가
다짜고짜
“울집 김치는 애기들도 먹으라고 육수를 내서 맹근 김치라니께 일단 잡솨봐.”
하고 별안간에 입으로 들어온
아주 쌉싸름하고 톡 쏘는 여수 돌산 갓김치같은 것

비온 뒤 해나 떠야
그것도 운 좋은 사람만 겨우 볼 수 있는 줄 알았던 무지개가

남원에서 순천 전주로 넘어가는 그 어두운 천마터널 안에서 세 차례나 그 빨주노초파남보를 선명하게 빛내고 있음을 발견하는 것

길 건너 비빔밥

그 옆옆 건물에 육개장

좀 기운 없는 날은 샤브샤브로 돌려막기하며 잘 챙겨먹은 거 같은데도 희한하게 윗입술 안쪽에 곪은 게 낫질 않다가

급한 출장길에 들른 고속도로 휴게소의 한 국숫집 할머니가 끓여주신

곪은 상처도 싹 잊게 하는

진한 멸치 육수에 담긴

호로록 호로록 넘어가는

잔치국수 같은 것

그리고

그 국숫집에서 흘러나오는

'버스커버스커' 의 〈여수 밤바다〉 노랫말에 다시금 떠오르는

어젯밤 그토록 그리운 것들의 안부를 묻던

밤바다 같은 것

집으로 돌아가는 길에

집까지 380km의 거리 중에 불과 28km를 남기고 있는 가운데

둘째 아이가 고개를 젖히고 잠들어 있는 차창 유리에

무섭게 쏟아지는 굵은 눈비와

스스로 라디오 볼륨을 줄이게 하는

짙은 안개 같은 것

여행은

순간적으로 이맛살을 내 천(川) 자로 찡그리게 만들던 큰 아들의 변덕 덕분에 우연히 발굴하게 된

맛집이라고 소문난 곳마다 들르는 족족 사나운 바가지에 배신감만 쌓여 온 혓바닥을 녹록히 안아주는

사골 떡만둣국과 멸칫국물 잔치국수가 감칠맛 나는

뽀얀 간판의 국숫집 같은 것

그리움만 쌓이네

얼굴이 일그러진다
무쪽같이 못생겨진다

울고 싶을 때 울지 못한 만큼
화 내고 싶을 때 화 내지 못한 만큼

생활이 나날이 일그러진다
못 생겨진다

하고 싶은 일 미룬 만큼
하고 싶은 말 못 다 한 만큼

삶이 해마다 일그러진다
못 생겨진다

보고 싶은 사람 지운 날 만큼
보기 싫은 사람에게 억지 웃은 만큼

돌이킬 수 없는 삶이 저물고서야
예측할 수 없는 악몽의 밤을 줄 세우고서야

믿을 수 없는 얼굴과 마주하고서야

울어본다

화 내본다

못 한 일 펼쳐놓고

못 한 말 꺼내본다

해님처럼 웃어본다

모든 것 잃어버리고

모든 이 떠나보내고

남은

시간

- 다정했던 사람이여 나를 잊었나

  오 나 너 하나만을 믿고 살았네

  오 네가 보고파서 나는 어쩌나

  그리움만 쌓이네

체념

나이가 듦에 따라 체념이 늘어가는 것은
열정이 식어서가 아니다
수없이 속이는 세상에 수없이 항거해봤지만
수없이 떠나는 무엇을 수없이 붙잡아봤지만

그 끝에 남은 것은
상처투성이인 나 자신과
더 교묘하게 속이려 드는 세상과
더 멀찌감치 서 있는 그림자뿐이었기 때문이다.

끄덕이고
끄덕이고
받아들이는 법을

미련하고도 고약하게 순진한 열정을 쏟은 끝에
터득했기 때문이다.

그렇게 무심한 인생을
때로는 자조하고
때로는 위로하며

살아내는 것이

이 땅에 태어난 우리들에게

하늘이 지운 임무임을 온몸으로

배웠기 때문이다

그런 사람

붙잡지 않아도 이미 곁에 있는 사람
떨어져 있어도 불안하지 않은 사람
꾸미지 않아도 되는 사람
울지 말라는 쉬운 말 대신
같이 울어주는 사람
웃어보라는 쉬운 말 대신
같이 웃어주는 사람
그립게 해도 아프게 해도
억울하지 않은 사람
힐끔힐끔 엿보기보다 총총한 동공 가득 나를 채워
시계 초침이나 주머니 속 지폐의 개수를 셈하지 않고 보는 사람
스스럼없이 와서 안기는 사람
스스럼없이 가서 안으면
굳었던 어깨가 말랑말랑해지는 사람

실수를
떠나는 구실로 삼는 사람이 아니라
다가서는 구실로 삼는 사람
늘 끝이고 싶은 사람이 아니라
늘 시작이고 싶은 사람

뜨듯한 미역국에 고봉밥 해서 귀한 엄마 김치 한 점 얹어 주고 싶은 사람

맵싸하면서도 달큼한 떡볶이를 사다가 같이 먹고 싶어서 왔다고 문 두드리는 사람

인간에 대한 최소한의 존중을 요구하는 말을 오해하지 않는
마음이 건강한 사람
지난 인연에 대한 최소한의 존중을 요구하는 말을 오해하지 않는
가슴이 따뜻한 사람

같이 있을 때도
떨어져 있을 때도
나를 가장 나답게 하는 사람
함께 빛나는 사람

쭉쭉 뻗어 훤칠하기보다는
휘어지고 틀어진 채로 서로 기대고 받쳐주며
함께 숲을 이루고 있는 소나무 같은 사람

글지기의 책장 #2 나의 꿈 | 한용운*

당신의 맑은 새벽에 나무 그늘 사이에서 산보할 때에
나의 꿈은 작은 별이 되어서 당신의 머리 위에 지키고 있겠습니다.

당신이 여름날에 더위를 못이기어 낮잠을 자거든
나의 꿈은 맑은 바람이 되어서 당신의 주위에 떠돌겠습니다.

당신이 고요한 가을밤에 그윽이 앉아서 글을 볼 때에
나의 꿈은 귀뚜라미가 되어서 책상 밑에서 '귀뚤귀뚤' 울겠습니다.

---

* 한용운 『님의 침묵』 회동서관(1926)

3장

고마워 아무 조건 없이 사랑할 수 있게 해 줘서

"삶의 마지막 순간에
바다와 하늘과 별과 사랑하는 사람들을
마지막으로 한 번만 더 볼 수 있게 해달라고 기도하지 말라.

지금 그들을 보러가라."

- 엘리자베스 퀴블러 로스, 『인생 수업』 중에서

그 힘은 온전히 나를 향한 사랑이었을까

그녀한테서 꽤 오랫동안 전화가 없다. 지난 주 금요일에 통화를 했으니 오늘로 딱 1주일째다. 1주일 전에도 내가 '용건'을 핑계로 어색한 전화를 걸었고, '용건'만 나눈 뒤 어색하게 끊은 게 전부다. 그녀의 첫 마디는 늘 정해져 있다.

"어, 왜?"

내가 결혼해 나온 뒤로만 쳐도 18년째니 익숙해질 법도 한데, 늘 정해져 있는 이 첫 마디에 나는 늘 당황한다.

"어, 그게..."

할 말이 있어서 한 전화일 때도 할 말을 찾게 하는 늘 들으면서도 여전히 익숙해지지 않는, 수화기 너머 엄마의 첫 마디.

엄마는 보통 오징어와 호박, 고추 등 옥상 텃밭에서 갓 따온 채소들을 넣고 김치부침개를 부치면서나 막내 손주 좋아하는 콩나물을 한 바구니 무치면서, 아니면 모처럼 시간이 나서 큰 맘 먹고 사온 사골을 종일 끓인 후 베란다에서 식혀서 굳어진 기름을 한 번 깨끗하게 걷어내면서 내일 곰탕 가져가라고 전화를 한다. 그녀의 화장대 서랍 어딘가에 누워 고이 코 골고 있을 '한식 조리사 자격증' 따위로는 감히 설명할 수 없는 그 손맛을 한껏 뽐낸 메뉴들은 언제나 거부하기 어려운 단어들이다.

하지만 나는 한 번도 엄마의 전화에 기꺼이 한달음에 달려가 본 적이 없다.

"어, 그게... 오늘은 이미 집에 왔으니까 내일 퇴근할 때 들러서 가지고 갈게." 하고 시원치않은 대답을 뱉어 놓고 나면 그날의 몫을 그럭저럭 살아내고 있던 나를 향해 정체를 알 수 없는 무거운 그림자가 젖은 빨래처럼 훅 얹혀졌다.

그녀의 마음을 너무도 잘 안다. 그녀는 나를 항상 걱정한다. 살림도 하고 일도 하며 음식할 시간이 없을 큰딸을 걱정하며 어릴 적 딸이 제일 좋아하던 김치부침개를 부친다. 그런 딸에게 제대로 된 집밥을 못 얻어먹고 다닐 사위와 큰 손자를 걱정하며 식탁에 내놓으면 그들이 가장 크게 웃어주는 고기 요리를 한다. 또래에 비해 유독 키가 작아 놀림도 많이 받는 작은 손자를 걱정하며 사골을 우려내고 또 우려내며 막간에는 특히 요놈이 좋아하는 콩나물도 빼놓지 않고 무친다. 콩나물을 입에 가득 오물거리며, "외할머니는 요리 마법사." 라며 쌍 엄지를 날려줄 요놈의 깜찍한 리액션도 상상하면서 아직 그녀에게서 전화가 오지 않는다. 내가 해볼까, 하고 주저하다가, "엄마 요즘 왜 이렇게 전화가 없어?" 하고 다짜고짜 물어볼 상상을 하자 순식간에 눈두덩이 뭉근히 차오른다. 마음에도 집이 있다면 그녀의 마음속 집에서 나의 마음속 집까지는 얼마나 먼 걸까? 우리 집 주차장에서 그녀의 집 주차장까지는 웬만하면 25분 안에 도착한다. 하지만 25시간을 달려도 도착하지 못할 것 같은 그녀의 마음속 집으로는 간다는 상상만 해도 코끝이 아려 올 뿐, 한 발짝도 움직이지 못한다.

아직 일흔이 되지 않은 그녀는 정년퇴임을 한 공무원 남편이 갖다주는 월급을 타서 세 남매를 알뜰히 키운 평범한 전업주부다. 타고난 손재주로 가끔은 이불이나 커튼을 만들어 세 남매의 학비에 보태고, 반찬값을 충당하기도 했다. 뻔한 공무원 월급으로 삼 남매를 대학 공부까지 시켰다. 매일 아침, 생선을 굽고 '어제와 다른' 국물 요리를 끓여냈다. 당신의 자궁을 들어내는 수술을 하고 나서도, 병원 밥은 입에 안 맞으시다는 시아버지를 위해 커다란 보온 밥통에 당뇨 환자에게 알맞은 식단을 담아 매일같이 입원실을 찾았다. 지금의 나보다도 젊은 나이에 시아버지의 뒷일을 처리하는 일까지 도맡아야 했던 큰 며느리.

그 시절엔 다 그렇게 살았다는 말로 덮어버리기에는 너무 마르고 어린 여자일 뿐이었던 그녀가 말도 안되는 그 세월을 다 겪어내는 동안 새카맣게 타들어 가 재만 남았을 그녀의 마음, 홀로 지켜내야 했을 수 없는 밤에 왜 나는 단 한 번도 없었을까. 그때 나는 어디서 무엇을 하고 있었을까.

한 번은 삼 남매의 학창 시절과 남편의 승진시험 공부 시절에 그녀가 싼 도시락의 개수를 세어봤다. 삼 남매 학창시절 36년에 남편의 승진 시험 기간 대략 3년을 합하면 햇수로는 최소 총 39년간 도시락을 싼 셈이다. 여기에 삼 남매 고등학교 시절 야간 자율학습 용 저녁 도시락까지는 빼더라도 그녀가 싼 도시락의 개수는 최소 1만 4천 2백 3십 5개에 달한다.

그녀는 여름에도 보온 도시락에 따뜻한 국을 꼭 넣어주었으니, 도시락 통의 높이를 20cm로 잡고 그동안 그녀가 싼 개수만큼 도시락들을 쭉 쌓으면 송파를 넘어 서울의 시그니처로 자리매김하고 있는 롯O타워를 4채를 올린 높이가 된다. 이런 계산을 한 번 해본 뒤로 나는 롯O타워를 지나칠 때마다 보온 도시락을 그 높이의 4배로 쌓는 상상을 즐긴다.

공교롭게도 작년부터 다니기 시작한 직장이 잠실에 있다. 퇴근하고 건물 밖으로 나서면 맞은편 건물과 건물 사이에 그 '롯O타워' 가 우뚝 솟아있어 적어도 주 3회 이상 퇴근할 때마다 나는 그 압도적인 높이와 맞선다. 그리고는 마치 그녀가 싸 준 도시락을 한 번도 먹지 않은 것처럼 목에 담이 걸리도록 올려다보며 철없이 묻는다.

그녀가 이것의 4배나 되는 높이의 도시락을 생산하게 한 힘은 무엇이었을까? 그 힘은 온전히 나를 향한 사랑이었을까?

메신저가 울린다. 그녀다.

"카레랑 콩나물무침 해놨어. 가지러 와."

"응. 퇴근하는 길에 갈게. 9시 정도 될 거야." 답장을 전송하고 대화 창을 덮으려다 스크롤을 올려본다.

○월 ○일

집에 갈 때 배추 된장국 가져가.

○월 ○일

송이죽 끓였는데 갖다 먹을 거야?

○월 ○일

겉절이 담갔는데 와서 가져가.

참, 김치 냉장고 서랍에 꼬막무침도 가져가

○월 ○일

민이 아프다며? 전복죽 끓여놨으니까 갖다 먹여봐.

○월 ○일

지금 학원이야? 끝나고 들러서 콩나물, 무생채 무쳐놨으니까 가져가.

·

·

·

도시락통에 넣지 않았을 뿐 당신의 마음이 여전히 내 작은 메신저 창 안에서 5번째 타워를 쌓고 있다. 끝나지 않은 당신의 마음. 당신의 사랑이 더 먹고 싶어서 아직도 내가 철들지 않는가 보다.

엄마, 당신의 고단한 밤을 덮으며

"왜?!"

오늘도 데퉁스러운 당신의 대꾸에 웃음부터 난다. 좀 더 다정하게 받을 수 없느냐고, 나는 침을 삼키듯 투정을 삼킨다.

"오늘 퇴근이 늦어서 저녁에 우리 집 좀 들여다봐 달라고."

통화는 짧다. 끊어진 전화기의 적막한 화면을 꽤 오랫동안 바라본다. 언젠가부터 우린 그랬다. 아니 나는 그랬다. 통화 시간보다 당신의 목소리가 남긴 적막을 더 오래 음미했다.

"왜?!"

아빠는 늘 전화를 이렇게 받았다. 좀 더 다정하게 받을 수 없느냐고, 엄마는 아빠와의 통화를 끝내며 나에게 투덜거렸다. 아빠는 무뚝뚝했다. 하지만 가족을 그리워했다. 술은 아빠의 그리움을 읽을 수 있는 유일한 통로였다. 과격하게나마 딱딱한 가슴팍에 나를 끌어안는 일도, 진홍색 장미 다발을 엄마에게 바치는 일도, 곯아떨어진 세 남매를 깨워 아이스크림 통을 둘러싸고 앉게 하는 일도 모두 술에 젖어서야 하는 일이었다.

엄마, 당신은 아빠의 높아진 언성에 대처하는 법을 잘 알았다. 크게 울었고, 더 언성을 높였다. 집은 한여름에도 살얼음판이었다. 나는 그 얼음판을 걷는 일에 익숙해지지 않았다. 그래서 아르바이트를 열심히 했고, 학교 도서관의 밤늦은 소등도 자처했다. 친구들과 늦도록 어울렸고, 19시간의 비행을 무릅쓰고 연고도 없는 뉴욕까지 다녀왔다.

친구들보다 이른 듯 웨딩드레스를 입은 것도 그 얼음판 위에서의 아슬아슬한 스케이팅을 하루 빨리 그만두고 싶었기 때문일는지 모르겠다.

백일 남짓한 큰 애를 맡기면서 난 당신의 눈치를 보는 게 힘들었다. 내 팔에서 당신의 등으로 옮겨질 때의 큰아이는, 유통기한 직전까지 팔리지 않아 주인의 심기를 불편하게 만드는 물건처럼 안타까웠다. 당신이 사랑하는 것과 별개로 당신의 몸은 첫 손주를 썩 반가워하지 않았다. 당신의 손목은 손주를 받치기보다는 꽹과리채를 잡는 것에 익숙하고, 당신의 가슴은 손주를 안아주기보다는 북을 끌어안는 것에 익숙하다는 걸 나도 모르지 않았다. 그럼에도 아이를 맡기고 일하러 가는 당신의 딸을 얼마나 원망했을까. 당신의 한숨이 닿지 않는 버스에서 나는 줄곧 그런 생각을 했다.

생각해 보면 당신에게 넉넉히 용돈을 줘본 적이 없다. 늘 욱신거린다는 손목 한 번 내 손목처럼 살갑게 잡아본 적도 없다. 당신이 10년 가까이 몸담고 있던 사물놀이 예술단의 정기 공연에도 몇 번이나 가보았을까. 남들은 딸이 있어서 좋다는데, 당신은 딸이 둘이나 되어도 눈치만 보인다고 투덜거리는 소리는 귓등을 타고 미끄러졌다.

넓은 호수의 한가운데 마련된 탁 트인 무대에서 상쇄가 되어 꽹과리를 치고, 고수가 되어 북을 두드리는 당신의 모습을 오랜만에 보았다. 무대에서 누구보다 뜨거운 당신에게 관객들은 자주 환호했다. 그런데 무슨 일인가. 당신의 꽹과리채는 나의 고막으로, 북채는 내 가슴으로 관객들의 환호까지 합세하여 달려와 무자비하게 두들겨대기 시작했다.

- 엄마 잘하지? 엄마 열심히 준비했지? 왜 이제야 보러왔어?

갑작스럽게 당신의 공연이 나의 온 몸으로 돌진하여 전하는 당신의 목소리에 정신이 번쩍 들었다. 변명과 생색이 덕지덕지 붙은 얼굴을 하고 한참이나 밀린 숙제를 해결하러 온 듯, 그나마도 곧 가봐야 한다는 의지를 역력히 드러내고 앉았는 엉덩이부터 화끈거리더니 그날의 땡볕이 나만 집중적으로 달구는 듯 온 몸이 부끄러움으로 타들어가는 듯했다.

내가 당신을 이렇게나 모른 척했구나. 내 생활의 쳇바퀴를 구르는 것만으로도 벅차다는 핑계를 대며 당신이 처음으로 낳은 생명인 내가 당신의 삶을 이렇게나 잊고 있었구나. 당신에게도 내가 필요했구나. 엄마도 내가 그리웠구나. 당신의 외롭고 고단한 삶이 통째로 달려와 전신을 난타하는 고통에 정신은 금방 아득해졌다.

차가운 꽹과리 쇠와, 두꺼운 북 가죽이 당신을 그토록 달구어 놓는 동안 나는 무얼 하고 있었나. 급하지도 않은 출근길을 재촉하고, 무거울 것도 없는 수화기를 내려놓고 일말의 미안함조차 제 자식에 대한 안타까움으로 모조리 소비해버리는 나는 당신에게 무엇일까. 첫째의 학습지와 둘째의 이유식까지 맡기고 나와 서둘러 도착한 강단에 서서 분필 가루를 마시며 외친 것은 다 무엇일까.

이청준의 소설 〈눈길〉은 '어머니'를 '노인'이라고 부르는 정 없는 아들의 퉁명스러운 대사로 시작한다.

"내일 아침 올라가야겠어요."

급한 일을 미리 끝내고 아내에게 먼저 제안하여 벼르고 별러 내려온 고향 집이건만 겨우 하루를 버티고 이틀째 점심을 먹자마자 뱉은 말이었다.

반찬을 가지러 들른 나에게 '저녁 먹고 갈래', 하고 조심스럽게 건네는 당신에게 나도 자주 하는 말과 참 닮았다.

"아이들이 기다려서 빨리 가 봐야 될 것 같아."

그래서인가, 〈눈길〉을 강의하는 날이면 당신의 못난 딸이 생각나 한 글자 한 글자를 소리내어 읽는 일이 숨겨놓은 일기장이라도 들킨 듯 낯이 붉어지곤 했다.

〈눈길〉의 주인공 남자에게 노모가 혼자 사는 다 쓰러져 가는 집은 생각만 해도 마음이 불편해지는 '낡은 빚문서' 와 같다. 남자는 마음의 부채감이 커질수록 자주 이렇게 윈다.

"빚이 있을 리 없지. 난 빚이 없어. 노인과 나 사이에 무슨 빚이 있다는 말인가!"

그의 독백은 '노모의 무한한 사랑에 대한 반어적 표현' 이라고 여러 학교의 시험에 출제된다. 나의 혹독한 훈련으로 이 구절을 암기해 둔 학생들은 시험이 끝나면 여지없이 문자를 보내온다. "선생님이 짚어 주신 게 주관식으로 나왔어요. 고맙습니다." 자식이 어떻게든 시선을 피해 온 '빚문서'의 정답은 '노모의 무한한 사랑' 이었음을 나는 스물넷부터 알고 있었다.

마흔. 제법 옹이가 배어 멋스러워져 갈 법도 한 나이테가 당신 앞에서 유독 무색해진다. 키가 내 어깨에도 미치지 않는 학생들도 척척 맞히는 정답을 나는 과연 자신 있게 써 내려갈 수 있을까.

깊은 밤, 골똘히 당신을 생각한다. 아빠의 딱딱한 가슴으로부터 사랑받는 법보다 상처받지 않는 법을 익혀야 했을 당신을 생각한다. 그렇게 꽉 막혀가는 당신의 가슴을 꿰뚫어 볼 용기가 없어 차라리 집에 늦게 돌아오는 딸을, 안아주는 법보다 기다리는 법을 익혀야 했을 당신을 생각한다. 그러는 사이 그렇게 질색하던, '왜?' 라고 잘라 받는 적막한 인사를 어느새 통화의 첫머리에 습관처럼 올려놓는 우리를 생각한다.

엄마. 당신은 알까? 당신이 나를 그리워한 이상으로 나도 당신이 사무치게 그리웠다는 것을. 내가 나의 아이를 물고 빨고 너는 어쩌면 이렇게도 이쁘냐고 말하고 나면 늘 궁금했다는 것을. 당신도 나를 이렇게, 어쩌면 이렇게도 이쁘냐고, 내가 낳은 딸이 맞느냐고 물고 빨고 했는지, '눈에 넣어도 안 아프다' 는 말이 괜히 나온 말이 아니구나 하며 하루에도 몇 번씩 옛말의 지혜를 깨달았는지.

화려한 분장과 의상을 뽐내며 커다란 북을 메고 호반 무대를 종횡하는 당신의 그리움이 나의 그리움과 너무도 닮아 소름이 돋았다. 그토록 같은 마음을 이토록 모르는 것까지 어쩌면 이렇게 같은지. 상처받지 않기 위해 그저 기다리는 법을 익히는 데 익숙한 당신이 한 층 한 층 쌓아올린 '벽' 은 생각보다 높고 단단했다. 그러나 그렇게 당신 자신을 지키기 위해 지은 그 '벽' 이 당신이 나에게 줄 수 있는 최대한의 사랑이었음을, 당신이 겪은 세파로부터 필사적으로 '나'를 지키는 방법이었음을 깨닫는다.

당신의 시대와 당신의 세월이 합세하여 던지는 잔인한 돌팔매질 속에서 당신이 택한 최선의 사랑이 차디차게 굳건하게 오직 나를 지키는 '벽'이었음을 안다. 이제 당신이 준 나의 시대에서 내가 당신을 지키는 방법을 선택할 차례다. 당신에게서 오는 그 어떤 것도 내게 빚문서가 될 자격이 없었다.

당신의 벽을 허문다. 당신을 닮은 수국을 가득 심은 정원에서 내가 먼저 말하고 싶다. 당신이 그립다고. 한순간도 당신의 사랑이 충분해 본 적 없었다고. 내가 만드는 정원에서 남은 시간만큼은 그리움 없이 사랑하자고.

엄마, 당신은 내 생명의 처음이다. 당신은 나의 모든 처음 가운데 내가 가장 그리워한 처음이다. 내 사랑하는 마음의 처음이다. 이렇게 가까이에서 너무 오랫동안 멀었던 당신과 나, 묵은 내가 쌓인 마음이더라도 용기 내어 당신에게 간다. 더 늦기 전에 당신의 손목을 꼭 잡아주고 싶다. 더 늦기 전에 나의 전신을 두들기던 그 그리움으로 당신의 밤을 덮어주고 싶다. 당신이 아픈 나를 업고 2시간을 걸어 문 연 병원을 찾아다닌 외롭고 고단했을, 당신의 늘어가는 하얀 머리카락들과 같이 아득한 밤들을 나의 새까만 밤으로 덮어주고 싶다.

사랑한다. 당신. 당신의 남은 생애 내가 맘껏 사랑하겠다.

그만 열심히 살아라

살면서 두고두고 지우고 싶은 기억이 있다. 내가 아니었다고 손사래를 치고 싶은 수년 전의 '나'가 예고도 없이 오늘의 '나'를 괴롭힐 때가 있다. 다시 생각해 봐도 그날 친구의 장난은 지나쳤다. 평소 밥을 잘 먹지 않아 또래에 비해 키가 작은 나의 막내 아이에게 그녀가 장난으로 내뱉은 말은 처음부터 나의 심기를 건드렸다.

"그만해." 하고 숨을 고르는 나의 만류에도 아랑곳없이, 적어도 나에게는 가시 같았던 그녀의 말이 세 번째 반복되었을 때 간신히 붙들고 있던 인내의 끈이 탁! 하고 끊어지는 것은 당연한 일이었다. 그런데 활시위를 벗어난 화살이 향한 곳은 그녀가 아니라 그때 갓 6살이던 보석 같은 나의 막내 아이였다.

엄마 친구의 궂은 장난에 그러잖아도 고개가 수그러들어 가던 차에 난데없이 제 엄마가 쏜 불화살이 날아와 꽂히자 막내는 순식간에 재가 되어 버린 듯했다. 창백하게 질린 얼굴로 화석처럼 서서 굵은 눈물방울을 떨어뜨리지도 못하고 벌벌 떨고만 있었다. 찰나 뒤늦게 정신이 든 나는 그대로 막내에게 달려가 아이를 끌어안고 얼마나 숨죽여 울었는지 모르겠다. 그 길로 아이의 손을 잡고 식당을 뛰쳐 나와 무작정 걸어 집으로 왔다. 겨우 울음을 그친 막내는 내 품 안에서 이내 잠이 들었다. 잠든 아이의 숨결이 고르게 잡히어 감을 확인하고서야 밀려오는 슬픔에 나는 완전히 무너져버렸다. 엄마처럼 모자란 사람이 이렇게 별빛같이 맑고 환한 너의 엄마라서 정말 미안하다고, 엄마가 정말 미안하다고 수도꼭지를 틀어놓은 화장실 세면대에 고개를 처박고 얼마를 울며 보냈을까. 수도꼭지를 잠그며 올려다본 거울 속에서 나는 그때 그렇게 싫어했던 아빠의 얼굴을 또렷하게 발견하고 말았다.

고3 수험생 시절 어둠 속에 보낸 생때같은 청춘을 보상이라도 받겠다는 듯 대학교에 입학하여 이래저래 귀가가 늦어지던 어느 날이었다. 9시라는 통금이 무색하게도 밤 12시가 다 되어, 제 딴에는 덜 혼날까 싶은 마음에 건실한 남자 선배를 앞세워 집 현관에 들어선 순간이었다. 아빠는 천장이 통째로 무너져 내릴 것만 같은 고함을 치며 선배를 내쫓고, 식탁 의자를 던지고, 다 집어치우라며 핸드폰을 베란다 밖으로 던져버렸다. 안 그래도 통금 시간이 훌쩍 넘은 심야에 말 만한 딸내미가 남자를 데리고 집에 들어오다니 지금 생각해 보면 그 남자 선배가 머리카락 한 올 안 뽑히고 온전히 귀가를 할 수 있었던 게 신기할 노릇이다. 그러나 이제 나도 성인인데 통금이 있다는 것이 야속했던 그날 밤, 밖에서 잠긴 방에 감금된 나는 일기장에 아빠가 내 아빠가 아니었으면 좋겠다고 열 번도 넘게 쓰며 서럽게 울었다. 끔찍하게 무서웠고, 끔찍하게 싫었던 아빠.

고등학교 때는 높아만 가는 아빠의 기대에 반비례해서 떨어지는 성적표의 감옥에 한참을 갇혀 있었다. 대학 문을 열자 갑자기 펼쳐진 드넓은 캠퍼스의 자유에 방향을 상실한 스무 살은 무엇이든 할 수 있었으나 실상 아무것도 하지 못했다.

우연히 아르바이트로 시작한 학원 강의는 1년 만에 성대 결절로 목소리부터 빼앗아 갔다. 속이 시끄러울 때면 홀로 노래방 한 칸을 차지하고 좋아하는 가수의 노래를 서너 시간씩 부르던 일과는 자연히 사치가 되었다.

학교 정문이 닫힐 무렵 학원 간판이 켜지듯 가족들이 쉬는 날은 학원 강의가 있는 날이었다. '학원 쇼핑' 이 문화로 자리 잡은 학원 특구의 중심에 뛰어든 날로부터 휴일 없는 삶이 당연해져 갔다. 그러다 끼니까지 거르기 일쑤인 끝나지 않는 전투 같았던 내 일상에도 촉촉한 단비와 같은 일이 일어났다. 강의 끝나는 시간에 맞춰 도시락을 사놓고 기다리는 연인이 생긴 것이다. 강의가 끝나고 서둘러 켠 전화기에는 몇 분 전에 도착한 메시지가 반짝거렸다.

- 수업 끝나면 전화해. 지금 주차장이야.

태어나 처음 나눠보는 서로의 관심과 사랑은 황홀했고, 집 앞까지 바래다주고도 내 모습이 안 보일 때까지 그 자리를 떠나지 않는 친절한 연인과 헤어지지 않고 싶었다. 서로의 아내와 남편으로 우리는 다시 태어났다.

생일은 우리가 선택하지 않은 탄생 기념일이라면, 결혼은 우리가 선택한 두 번째의 생일이었다. 그리고 오래지않아 결혼은 어려서 뭣모를 때 해야 한다고 말씀하시던 어른들의 가르침이 무엇이었을지 저절로 깨달을 수 있었다. 남편과 아내로 다시 태어난 우리는 결혼 생활의 걸음마를 뗄 겨를도 없이 첫째의 엄마가 되었고, 둘째의 아빠가 되었다. 엄마와 아빠가 되어 넘기는 달력은 매일 풀어내야 하는 문제집과 같았다. 결혼이 궁극에는 채점할 겨를도 없이, 정해진 범위도 없이 매일 무턱대고 풀어내야 하는 하드 커버의 수험서인 줄 알았다면, 우리가 정말 결혼했을까. 연인은 더 이상 서로에게 단비를 내려 줄 새 없이 오늘의 과제를 해결하기에 여념이 없는 수험생활의 동기가 되었다.

지쳐가는 몸은 마음도 온전히 놔두지 않았다. 햇빛이 밝은데도 내일 비 오면 어쩌나, 근심은 습관이 되었다. 한 바퀴 돌면서까지 보여주는 동료의 새로 산 원피스가 참 예쁜데 드라이 맡기기 번거롭겠네, 트집은 입버릇이 되었다. 커피 한 잔이 너무 따뜻해서 눈물이 날 것 같은 날들. 하루에도 수십 명을 만나고, 일주일이면 수백 명을 만나고 오는 길인데도 왜 혼자 남은 길은 텅 빈 것만 같은지.

버티는 사람이 이기는 거다, 해냈다. 오늘도 해냈잖아. 잘하지 말고 그냥 하면 돼, 다 지나가, 하고 다독이며 무겁게 딛는 걸음은 언제쯤 가벼워질 수 있을까. 있을 땐 있고 없을 땐 없다는 그깟 돈 산다고 이렇게 고단한데, 그 돈은 왜 유독 나에게만 인색한 것 같을까. 미디어 안에는 더 적게 벌어도 더 환하게 웃으며 살아가는 사람들이 채널마다 웹페이지마다 가득한데, 나는 도대체 얼마나 지독한 마음의 병에 걸려서 한숨과 화로 가득한 걸까.

브레이크 없는 전동 자전거에 올라타 있다. 나만 계속 달리면 모두가 무탈할 것 같아서 브레이크가 있어도 멈추지 못한다. 나만 계속 발을 구르면 모든 일이 순탄할 것 같아서 내가 만든 바퀴 감옥에 갇혀 달린다.

아빠에게 묻는다. 그래서 그러셨느냐고.

혼자, 누가 만든 지도 모르는 자전거에 올라 타 무턱대고 구르는 게 너무 고돼서, 아니면 억울해서, 새내기 생활에 설레는 갓 스물의 딸내미에게도, 하루도 거르지 않고 새벽에 일어나 갓 지은 아침밥을 차려내는 아내에게도 그렇게 불쑥 집이 무너져라 고함을 지르셨느냐고. 일찍 다녀라, 하고 타이르고 말기에는 가슴에 켜켜이 쌓인 세월이 지독하게도 서러워서 그렇게도 모질게 가족을 멍들게 하고, 끝내는 고독의 쳇바퀴에 자신을 가두는 삶을 선택하셨느냐고.

생활의 전장(戰場)에서 멀미를 삼키며 총알받이로 사투를 벌이다 요행히 살아남아 퇴근하는 두 발이 그리도 헛헛해서, 견디고 견뎌내도 숨 한 번 아늑하게 고를 틈이 보이지 않는 전선(戰線)에 서는 것이 그리도 지루해서, 벼랑 끝까지 내몰려 당신도 모르게 떨군 눈동자에 우연히도 들어온 들꽃이, 어젯밤 또 한 번 고함으로 내몰았던 처자식을 닮아 또 굳어지는 얼굴이 처연해서, 손주보다 기껏해야 한두 살 더 위였을 즈음 일찌감치 홀로 대적해야 했던 세상이, 시골 논밭의 품에서 노을빛으로 그려보았던 세상과 그처럼 달라서, 어느 날 학교가 파하고 오니, 곳간 옆으로 살짝 불러 황소 눈깔만 한 하나밖에 없는 왕사탕을, 우리 장남 후딱 삼키라고 남새 치맛자락에서 꺼내주시던 할머니가 그리도 그리워서,

그래서 그러셨느냐고 아빠에게 묻는다.

저를 그렇게 예뻐하는 엄마가 쏜 불화살에 막내가 얼마나 아팠을까. 그 상처는 상상하기조차 몸서리가 쳐졌다. 늘 무서운 존재였던 아빠가 내지르는 고함도 나를 그토록 아프게 한 적은 없었을 것이다. 상상하기조차 두려운 막내의 고통을 헤아리는 뇌리에 불쑥 그 옛날 아빠의 고함이 쩌렁쩌렁 울린다. 도대체 아빠는 얼마나 고단하셨던 것일까 얼마나 외로우셨던 것일까 하는 생각에 나는 그만 상상을 멈추어야 했다. 논밭의 너른 손바닥 위를 드높은 하늘의 품 안에서 통통 튀어다니는 것만으로도 세상이 다 제 것 같았을 어린 시절이 무색하게도, 안으로만 삼키고 참아내야 했던 당신의 세월이 얼마나 참혹했던 것일까 하는 생각에 가슴을 쳤다.

그러나 그렇게 견딘 세월이 남겨준 것은, 그 딸 아들과 아내마저 굳게 닫은 문과 돈이나 꿔낼까 싶어 오래간만에 찾는 낯선 번호와의 술잔과 아픈 허리 여며 쥐고 뒷방이나 지키라고 떠미는 세상, 그리고 오롯이 당신 몫으로 남은 외로움이라는 것을, 어느 퇴근길에 기울이던 맑디맑은 소주 한 잔에서 깨달아질 때 그 소주 한 잔이 얼마나 쓴 것이었을까 하는 생각에, 지금이라도 당장 달려가 쓴 잔을 같이 부딪쳐 드리고 싶은 생각에 뒷목이 뻐근해졌다.

어쩌면 우리는 하나도 성장하지 않았는지도 모르겠다. 자식은 부모의 거울이라더니, 나는 아빠의 거울로, 나의 아이는 나의 거울로, 옷으로 꽁꽁 감추고 있다고 믿었던 알몸을 이렇게도 속수무책으로 들키고 있었음을 깨닫는다. 그동안 아빠를 참 많이 원망했다. 아무리 노력해도 돌아오는 건 언제나 더 잘하라는 충고뿐이었던 인색한 아빠한테 자라서 이렇게 나를 함부로 대하며 살고 있다고, 그래서 만나는 사람들도 열이면 열 모두 나를 함부로 대한다고, 이 모든 외로움이 아빠 때문이라고, 전부 다 아빠 때문이라고 어쩌면 마흔 평생을 아빠를 원망하는 힘으로 버텼는지도 모르겠다.

무심코 들여다본 거울 속에서 또렷이 나를 마주보는 아빠의 얼굴을 피하지 않고 응시해 본다. 그게 일찌감치 당신의 '엄마' 를 포함하여 고향의 울타리를 떠나 홀로 자신을 지켜내야 했을 아빠가 험한 세상에 맞서 터득한 사랑의 방법일 수도 있겠구나. 하긴 가끔 아빠는 말씀하셨다.

"너는 아빠 마음을 의심하느냐고. 아빠가 반대로 말한다고 아빠 마음을 모르면 되겠느냐고."

검은 봉지에 아이스크림을 열 개가 넘게 사 오시는 날이면 다소 누그러진 목소리로 그리 전하시던 목소리. 아빠로서는 그 아득함이 어쩌면 당신이 할 수 있는 가장 따뜻하게 사랑을 전하는 방법이었을 수도 있었겠다는 생각이 든다. 오늘 아침에는 꼭 운동을 시작하리라 맘먹었는데, 주저앉아 아빠의 마음을 따라가 본다. 아빠의 외로움에 반나절을 아득하게 앉아 있는 내가 너무 늦지 않은 언젠가는 먼저 아빠 곁에 자리를 잡고 앉아 마음을 읽어드릴 용기가 생기는 날 있을까?

어느 날은 첫째가 소파에 앉아 있는 내 무릎을 탁- 베고 눕는다. 어느 날은 둘째 아이가 잠이 덜 깬 내 팔에 자기 팔을 꼭 감아 안는다. 그렇게 나도 당신의 세월을 베고 누워 당신의 삶 전체를 안아주고 싶다.

삶은 그저 매일의 시험이다. '동그라미' 와 '가위' 의 기로에서 우왕좌왕하는 사이 나는 답을 하나도 쓰지 못한 채, 누군가에게는 불혹(不惑)이라는 마흔을 넘기는 중이다. 지금 아빠의 나이 즈음에는 한 칸 정도 답을 채우고 있을까? 돈을 벌기 위해 살았으면 어떤가? 자신을 닦달하며 살았으면 어떤가? 아이들에게 부끄럽지 않으려는 생각 잊지 않고, 나는 오늘도 살아내고 있다. 포기하지 않고 살아내고 있다. 시험은 정답을 맞힐 때만 의미 있는 것은 아니다. 그저 포기하지 않은 오늘이 정답인지도 모른다. 삶의 끝은 알 수 없고, 맥박의 빈도는 줄지언정 쉬지 않고 뛰고 있다는 것. 아빠에게는 젊디젊은 나이이기만 할 불혹의 중심에서 유연하지도, 바르지도, 당차지도, 씩씩하지도 않은 이 삶을 괜찮다고 다독여본다. 유연하지 않아도, 바르지 않아도, 당차지 않아도, 씩씩하지 않아도 나의 길을 포기하지 않고 걷는 것만으로도 괜찮다고 다독여 본다. 그리고 오는 주말에는 오래된 양주 한 병을 사 들고 가서 아빠 곁에 앉아 첫 잔에 여쭤봐야겠다.

"아빠, 이제 어떻게 살까요."

그러고 보니 지난 설날, 세뱃돈 대신 꼬깃꼬깃 접어 툭 쥐여주신 아빠의 덕담이 떠오른다.

"그만 열심히 살아라."

막내는 초등학교 졸업을 앞두고 있는 아직도 가끔 묻는다.

"엄마, 그때 그 떡국 가게에서 나한테 왜 그렇게 소리 질렀어?"

나는 이제 아빠에게 묻지 않기로 한다. 그래서 그러셨느냐고.

우리가 함께 쓰고 함께 읽은 『성혼 선언문 (成婚宣言文)』을 기록하다

1/ 아내의 다짐

몇 미터인지 묻지 않습니다.
몇 그램인지 묻지 않습니다.
저녁을 거를 때가 많은 연인의 퇴근길에
말없이 도시락 가방을 들어 보이는 당신.
내겐 이미 오래 전 뿌리를 내린 나무입니다.

세상이 무너져도 내겐 당신이 있습니다.
처음처럼 사랑합니다.

2/ 남편의 다짐

몇 길인지 알 수 없습니다.

몇 평인지 알 수 없습니다.

복잡한 일로 입맛조차 거칠어진 연인의 잠결에

종일 눌러 적은 편지를 토닥토닥 읽어주는 당신.

내겐 이미 오래 전 뿌리를 내린 나무입니다.

세상이 무너져도 내겐 당신이 있습니다.

처음처럼 사랑합니다.

3/ 2023년 12월. 아내의 추신

미터

그램

몇 길

몇 평

스무 살짜리 신랑 신부는

시시한 '단위' 놀이가 귀엽다

나의 퇴근길을 토닥이던 당신의 낭만 도시락은

사는 한 끝나지 않는 숙제와도 같은

밥, 밥, 돌아서면 밥 걱정

당신의 잠결을 안아주던 나의 연애편지는

사는 한 단잠을 누릴 수 없게 하는

드르렁 드르렁 코골이 돌림노래

두껍게 바른 웨딩 메이크업을 지우자 본색을 드러내는 결혼의 민낯에

마음 놓고 놀랄 겨를도 없이

'둘' 이던 식탁 의자는 '넷' 으로 식탁을 에워싸고
해마다 극강의 난도(難度)를 갱신하며 함부로 배부되는
세상 수학 능력 시험지를 푼다.

결혼이란
낭만 도시락 따위 먹어본 적 없다는 듯
망가져 가는 몸
연애편지 따위 받아본 적 없다는 듯
지쳐가는 마음에도
아무렇게나 펼쳐놓고 떨리는 손으로 까맣게 채우는 OMR 카드 같은 것

결혼한 사람들의 사랑이란
어쩌다 하루는 이기고
대부분의 하루는 지기 일쑤인
그 심술 궂은 OMR 채점지 속에서도
어린 잠결에 연애편지를 속삭여주던 사람
지친 퇴근길에 낭만 도시락을 건네주던 사람
그 순정의 마음을 들여다 봐주는 것

나도 잊고 지내던 당신만의 '나' 를 무심코 불러주는
당신도 잊고 지내던 나만의 '당신' 을 무심코 불러주는

단 한 장의 흑백사진 같은 것

서로의 얼굴에, 숯이 제법 많은 것이 당신과 내가 꽤 닮은 윗눈썹처럼 박힌 채 한 톨 한 톨 닮아가는 우리를 물끄러미 바라보며

당신의 아침밥을 기꺼이 걱정하는 것

단잠을 훼방 놓는 험악한 돌림노래 이불 속에

가볍고 고우며 휘거나 트지 않아 가야금의 공명판으로도 만들고 어쿠스틱 기타의 바디로도 만드는 천 년 오동나무로 빚어 만드는 젓가락 한 벌처럼

나란히 눕는 것

세상이 무너져도 내겐 당신이 있습니다.

당신이 길이 되어 나의 세상을 넓혀 갑니다.

내가 길이 되어 당신의 세상을 넓혀 갑니다.

이 길의 끝까지

사랑합니다.

아기가 잔다

아기가
잔다.

고작 한 뼘의 품에
잠투정 하느라 이마 언덕 총총히 영근 땀 한 톨의 무게까지
고스란히
내려놓고

초록의 꿈 품은 씨앗과
초록을 춤추는 나무와
초록이 마른 낙엽이

한 평의 땅에
저를 맡기듯

아기가
잔다.

나의 숨 주머니는 너의 베개
나의 토닥 손은 너의 이불

나의 가슴은 너의 집, 너의 땅, 너의 우주 ….

나의 사랑은

너의 전신(全身)을 고스란히 받는 것.

막

햇노란 꽃망울 터트린 민들레인 양

아기가

잔다.

일하는 엄마의 어느 치열한 일과의 기록

아침 7시 반, 밥을 안치고

아침 8시, 밥을 먹이고

"조심히 다녀와." , 하고 큰 아이를 배웅하고

아침 9시, "조심히 다녀와." 하고 작은 아이를 배웅하고

아침 9시 반, 설거지를 하며, 나의 학창 시절 12년의 등교를 하는 동안 한 번도 진지하게 생각해 본 적 없는, 매일 똑같이 배웅하는 조심히 다녀오라던 엄마의 말이 죄다 진심이었던 것이냐고 소스라치게 놀라며 괜히 수돗물을 세차게 틀어 벌건 눈으로 설거지를 하고

아침 10시, 어제 나에게 혼나고 밤새 악몽을 꾼 아들의 식은땀을 고스란히 받아내느라 축축하게 젖은, 나보다 나은 이불을 빨아 널고

아침 11시, 거실 한복판에 쌓여있는, 어제도 수고한 식구들의 땀내가 쪽 씻겨 뽀송뽀송해진 빨래를 접히는 결마다 한 손 한 손 넣어가며 차곡차곡 개어 제 자리를 찾아

"고생했어." 하고 착착 넣어두고

아침 11시 반, 그새 부유하는 먼지들을 청소기로 쓰읍 빨아들이고

낮 12시, 까먹고 있었던 첫 끼니를 먹으려고 하는데 밥솥에 한 움큼 남은 밥을 보며 한숨 짓다 라면을 말아 먹으며 아이들 학원비를 입금하고

낮 1시, 까먹고 보내지 않은 작은 아이 수영가방을 가져다주고, 문

방구에 들러 큰 아이 준비물을 사고

낮 2시, 내일 강의 자료를 준비하고, 공부를 하고, 학생들의 질문을 최대한 자동적으로 해결할 수 있도록 문제를 풀고, 문제를 풀고

오후 4시, 출근 준비를 하고

오후 5시, 미세먼지가 뒤덮인 하늘을 보려다 말고 출근을 하고 강의 시간표 때문에 몇 년 만에 한 번 하는 내가 좋아하는 가수 신승훈의 콘서트를 결국에는 못 가고, 가서 꼭 라이브로 듣고 싶었던 '미소 속에 비친 그대' 라는 노래를 신청할 겸, 막 켠 라디오 DJ에게 메시지를 보내려다가 또 선곡되지 않으면 오늘은 정말 기분이 안 좋을 것 같아서 말고 출근을 하고

저녁 6시, '대화의 원리' 와 '음운 체계' 와 '어휘의 체계와 양상' 진도를 끝내고, 복습 평가를 보고, 숙제 안 해온 아이와, 고개를 끄덕이며 정말 열심히 듣는 줄 알았더니 졸고 있는 아이에게 차가운 매실 주스를 안겨주고

밤 10시, 학교별 시험 대비계획을 주제로 한 회의를 하고,

"첫 시험 망치면 일 년을 망치는 거 아시죠, 지금 내신 전쟁이에요. 다들 수업 준비랑 수업 확실하게 부탁드려요." 하고 원장님께서 손수 감아주시는 압박붕대를 잠시 늘어져 있던 어깨에 친친 감고, 타닥타닥 회의실을 나서며 전우(戰友)들과 큰 한숨 나누어 뱉고,

밤 12시, 퇴근을 하고, 10시에서 12시까지 하는, 내가 좋아하던 라디오 프로그램의 DJ는 눈물의 하차를 했지만 아쉬운 대로 라디오를 들으며 퇴근을 하고, 그나마 출퇴근하면서 이 차에 몸을 맡기는 시간

에는 온전히 몸과 마음이 쉴 수 있어서 좋구나 생각하며 퇴근을 하고,

밤 12시 반, 주차를 하고, 이미 나보다 훨씬 먼저 직장을 마치고 한 자리씩들을 차지해 놓은 차들을 부러운 듯이 스캔하며 한 바퀴를 돌다가 하나 남은, 너무 좁아서 아무도 대지 못하고 남겨졌을 자리에 '소형차는 이럴 때 좋지.' 하면서 여유 있게 주차를 하고

새벽 1시, 수압이 좋은 샤워기 폭포에 머리카락마다 묵직하게 낀 때를 씻겨 보내고, 김치 냉장고 둘째 칸에서 딱 알맞게 차가워진 몸으로 주인을 기다리는 맥주 한 캔에 번거로운 마음의 먼지를 씻겨 보내고

새벽 2시, 낮에 미처 끝내지 못한, 내일까지 넘겨야 하는 강의 자료를 마무리하고

새벽 3시, 잠자리에 들어, 내일 아이들 아침밥 먹여 보내려면 얼른 자야 된다는 생각에 더 초롱초롱해지는 동공에 휴대폰 전자파 공격을 개시하고, 공격에 전사한 동공을 못 이겨

눈이 감기고,
근심이 감기고

치열했던 하루가 감기고

당신은 어떤가요?

얼마나 오래 전일까? 당신과 내가 처음 마음을 확인한 지 100일째 되던 날, 당신이 하루도 빼놓지 않고 써서 선물해 준 일기장이 기억나느냐고 가끔 물어보는 상상을 한다. 다른 사람 이야기하듯 대꾸하지 않는 당신의 표정이 따라 그려져 픽 하고 웃고 만다.

첫 데이트로 놀이공원에 갔던 날, 하루 종일 손잡고 돌아다니다가 심야 퍼레이드와 함께 시작된 불꽃놀이를 보며 자기가 꼭 안아줬던 거 기억나느냐고, 그때 자기 품이 무척 따뜻해서 밤새 자기와 함께 있고 싶었다고 말을 거는 상상도 한다. 역시 이렇다 할 대꾸 없이 핸드폰을 만지작거리며 일어설 당신의 등이 따라 그려져 칫, 하고 웃고 만다.

여름이면 당신 친구들과 수상스키를 타고, 래프팅을 가고, 수목원을 산책하던 날들, 오늘 하늘이 꼭 그때처럼 푸르지 않느냐고, 하늘 한 번 봐봐, 라고 상기된 목소리로 권하고 싶은데, 그런 일도 있었냐는 듯이 '무슨 하늘이야' , 라고 심드렁하게 돌아올 당신의 목소리가 들려와 그냥 삼킨다.

삼키고 삼킨 기억들이 무색해질 때면 일부러 불러오는 그날이 있다. 당신이 오랫동안 다니던 직장을 그만두고 영어시험 준비에 몰두하던 6개월 남짓한 그때. 누가 시키는 것도 아닌데 밥 먹듯이 밤을 새우고, 조금 있으면 아이들 하교하고 올 시간이라고 눈에 불을 켜고 영어 교재를 파고들던 당신. 매일 출근하던 사람이 하루 종일 집에서 공부를 하고 있으니 예민하게 느껴져 불쑥 짜증이 나는 날도 있었지만 아침 밤 낮 무언가에 몰두해있는 당신이 참 멋있었다. 초췌한 얼굴 속에서도 빛났던 그때의 당신이, 당신으로 무안해진 어느 날의 나를 토닥토닥 쓰다듬는다.

우연히 스치는 손등의 체온만으로도 참 설레던 날이 있었다. 한 이불 덮고 자는 10년의 세월 속에 알몸으로 사랑을 말하는 방법조차 하나 신비로울 것 없이, 식은 누룽지를 먹듯 권태로운 날에는 시퍼런 하늘이 설게 내려온다.

당신은 오늘 하루 무엇을 보고, 무엇을 말하고, 무엇을 만지며, 무엇을 듣고 생각할까? 36.5도의 무방비 상태인 민얼굴에 찬물을 연거푸 끼얹는다. 올려다보는 거울에 비친 당신의 주름살 사이에 보일락 말락 숨어 있는 웃음소리를 들은 지가 언제일까? 아침밥상 너머로 TV에 뺏긴 우리 아이들의 눈동자에 입을 맞춰 본 지가 언제일까? 핸드폰 키패드를 두드리는 사이 벌써 1미터는 흘러가 버린 하얀 구름을 본 지가 언제일까? 서하남 IC에서 습관처럼 고속도로로 진입하는 액셀러레이터 위에 놓인, 어디로 가고 있는지 당최 궁금해 해본 적 없는 당신의 발을 가만히 들여다 본 지가 언제일까?

아침 낮 저녁, 월 화 수 목 금 토 일, 봄 여름 가을 겨울, 숨가쁘게 출근, 퇴근, 입금, 출금을 반복하는 사이 아침 햇볕에 새싹 하나가 일어나 초록 잎을 내밀고 분홍 꽃을 피우고 붉은 노을을 삼키고 앙상한 가지 사이로 잠들러 들어가는 모습을 쿵, 하고 뒤돌아봤던 그때는 언제일까?

아이들의 준비물을 챙기고, 매달 15일이면 얼마쯤을 벌어오는, 퇴근하면 차려 먹을 음식을 준비해 놓고, 매일 아침 청소기를 돌리고, 금요일에는 재산세를 내고, 아웃도어는 꼭 아웃도어 전용세제로 빨라고 당부했는데 또 까먹을까봐 걱정스러운 그런 아내가, 그런 특별할 것 없는 아내가 오늘은 무엇을 먹고 싶었는데 못 먹었는지, 당신과 얼굴을 맞대고 어떤 이야기들을 하고 싶은지, 무엇을 보고 그렇게 정신없이 웃는지, 어떤 순간에 그렇게 하염없이 우는지, 그런 아내를 기쁘게 해주고 싶다고 궁리해 본 적은 언제일까?

몇 해 전 두물머리에서 당신과 함께 보았던 노을이 생각난다. 북한강과 남한강이 부지런히 흘러 만나는 곳이라고 설명해주는 팸플릿이 없었다면 그저 한 줄기 강으로만 알 뻔했던 겉보기엔 그저 '한 물' 같았던 그 두 줄기의 강물도 '두물머리' 라고 또렷하게 적힌 지도 안에서 서로 제 물살이 더 세다고, 제 물 폭이 더 크다고 다투고 있었을까?

새벽녘에 장관이라는 물안개도 보고 싶은 지 여러 해가 지났구나, 하고 공허하게 곱씹어본다. 한여름이면 만발한다는, 당신과 처음 입맞춤하던 날의 우리 입술 색과 참 닮은 연꽃들도 오후 여섯 시 즈음부터 강줄기를 따라 짙게 물들기 시작하는 노을도 공허한 오늘 속에 진다.

어느 물이 더 세고 어느 폭이 더 큰 게 무슨 의미일까. 안개에 젖으며 연꽃을 안고 노을에 물드는 하루가 그토록 황홀할 뿐인데. 당신과 안개에 젖고 활짝 터진 연꽃잎들처럼 웃으며 노을에 물들고 싶다. 그런 시간을 당신과 한참이나 보내고 싶다.

마음을 나누는 시간을 가진 지 참 오래되었다. 텅 빈 종이를 마음을 나누지 못한 시간 만큼이나 오래 바라보다 그냥 접기가 싫어 당신에게 간다.

- 여전히 당신의 아내는

어제보다 오늘 더 표정이 없는 우리의 달력을 또 한 장 넘기며
사랑한다는 말이 무색해지고,
부끄러워지고,
낡고,
두려워지더라도

사랑할 수밖에 없는 당신을
함께해 온 남루한 세월처럼 사랑합니다.

내가 당신의 새벽안개가 될 수 있을까요?
당신의 여름 달력에는 환한 연꽃을 피우고
날마다 저녁 무렵에는 타는 노을을 두고 싶습니다.

새벽 퇴근길 택시며 버스들이 무질서하게 질주하는 차도를 달리며 불현듯 떠오른
어젯밤의 잔혹한 살인 사건의 용의자 얼굴에 몸서리치는 사이
뒤늦게 신호등을 보고서야 급제동을 하는 순간

가장 먼저 달려가 보고 싶은 당신

오랜 세월을 통해 당신이 심어준 깊은 믿음의 뿌리를 딛고
오늘도 숨 쉬고
웃고 울며 살아가는 나를 깨닫습니다.

당신을 오늘 더 사랑합니다.

당신은 어떤가요?

지금 커피 사 먹을 때야?

종식의 기약도 없이 들이닥친 사상 초유의 바이러스로 생업이 강제 중단되었을 때다. 하지만 나만 어려운 건 아니니까. 나는 명함도 못 내밀게 삶 전체와 전투를 치르는 사람들도 많으니까 되도록 차분하게 대처하려고 노력했다.

하지만 사람의 몸과 마음이 겪는 고통은 총량 보존의 법칙에 따라 비율을 나누는 것일까? 노력은 쌓일수록 조급함을 부르고 인내는 커질수록 몸을 괴롭힌다. 의연하다고 생각했는데 일도 없는 직장에 출근하자마자 당일 지급되는 아르바이트를 찾으러 구직 사이트를 기웃거리는 아침 루틴은 참 별로다. 괜찮다고, 다 지나간다고 되뇌면서도 여러 달 전부터 반나절에 서너 번씩은 손바닥으로 가슴을 꾹 누르며 깊은 호흡을 뱉는 습관이 생겼다.

어느 날 아침 남편과의 통화는 아직도 가슴이 서늘해진다. 동네 단골집 커피가 유난히 생각나 가볍게 걸을 겸 일부러 찾아가 갓 추출한 고소한 향이 일품인 커피를 테이크아웃 해오는 길, 그 향을 나만큼이나 좋아하는 남편에게 전화를 건다.

“오빠, 나 지금 L 커피 테이크아웃 해서 집 가고 있다. 부럽지?”

전화기 저편에서는 예상치 못한 침묵이 팽팽하더니 역시 예상하지 못한 답이 돌아왔다.

"뭐? 한 푼이라도 아껴야 한다고 어제도 얘기했잖아. 집에 있는 커피 머신에서 내려 먹으면 되지. 지금 커피 사 먹을 때야?"

집에 있는 커피 머신을 두고 중요한 약속도 없이 카페에 가서 커피를 사 먹을 때가 아니었다. 익숙한 관계일수록 말은 마음을 온순히 담지 않고 평소 벽에라도 퍼붓고 싶었던 화증을 담아 어깃장을 놓곤 한다.

'응, 알지. 그런데 오늘따라 L 커피가 생각이 많이 나더라구. 나도 매일 집에서 내려 먹다가 오랜만에 커피 한 번 사 먹은 거 같고 그래~!' 하고, 웃어넘겨도 좋았을 것을 짧은 사이에 필터를 상실해버린 나도 확 쏘아버리고 말았다.

"오빠 차 바꾼다는 얘기나 하지 마."

시멘트 바닥에 패대기쳐버린 끊긴 전화를 붙들고 걷잡을 수 없는 눈물이 쏟아지는 것은 야박한 남편의 비난에 서운해서였을까? 이렇게나 쉽게 민낯을 드러내는, 빚으로 연명해 온 통장 잔고가 야속해서였을까? 커피값 정도야, 하며 습관처럼 카드를 긁은 나의 느슨한 마음 때문이었을까? 그것도 아니면 초대한 적 없는 불청객 '코비드 19'의 무례한 침범에 곰팡이 슬어가는 우리의 쾨쾨한 생활 때문이었을까?

답답한 마음에 자주 들어가는 SNS 커뮤니티를 어슬렁거리며 내 생각과 다른 글에 댓글을 달다가 지운다. 지인들과의 단톡방에 들어가 나를 향한 내용이 아님에도 그 화살에 맞은 내가 '에이, 그건 아니지요.' 라고 쓰다가 또 지운다. 아무도 상처 주지 않았는데 혼자 상처투성이가 되어 아무 데나 걸터앉는다. '코비드 19'가 가져온 건 병증(病症)만이 아니었다. 어디론가 겁 없이 달려가는 인류의 질주에 이렇게도 호되게 브레이크를 거는 무엇이 있었을까?

불이 타오르고 남은 자리에 참숯이 까맣다.
칼바람이 몰아치고 간 자리에 봄눈이 하얗다.
캄캄한 밤이 내리고 간 자리에 샛별이 빛난다.
온 지구인들을 전례 없이 앓게 하는 이 역병 또한 우리 다음 세대가 살아갈 지구를 덜 아프게, 더 건강하게 하기 위한 필연일까?

이 필연의 역병이 지펴 버리고야 만 불씨로부터 시커멓게 타오르는 불길을 본다.

'비난' 은
아물지 않은 치부(恥部)로부터,

'독단' 은
팽팽한 불안과 두려움으로부터,

'자랑' 은
자기에 대한 불신(不信)으로부터

'비굴' 은
죽은 듯이 잠자고 있는 용기와 줏대로부터

'허위' 는
광대의 한 판 제대로 웃어 재낀 무대 뒤에 놓인,
푸석한 가발과 같이 너절한 삶으로부터

그리고 '고독' 은,

비난과
독단과
자랑과
비굴과
허위를 숨긴 가면에

썬 블록 크림을 바르고
비비크림을 얹고
프라이머로 가리고
색조 화장을 씌우고

마스카라와 레드립을 바르는 데에만 몰두하느라

한 번도 몰두해보지 않은 '나'의 민낯으로부터
오는 것을
본다.

다시

불이 숯을,
바람이 꽃을,
밤이 별을,
그리고 죽음을 각오한 산고(産苦)가 목숨 같은 아이를 피웠듯이

지금의 이 아픔 뒤에는 반드시 절대적인 너와 나,
그리고 어제보다 진실한 우리의 삶만이 남을 것을 믿는다.

아직 헐벗은 통장 잔고를 확인하는 일은 야속하다. 그러나 낡은 퇴근길에 왜 이렇게 늦었어?, 하고 밥을 천천히 먹으며 기다려주는 가족의 품은 여전히 따스하다. 틈틈이 날 세운 말의 칼이 또 우리의 무엇을 베어놓고, 벤 사람도 베인 사람도 잠 못 이루는 밤을 켜켜이 썰어놓을지 모르겠다.

그날 그 전화를 끊은 길은 주차장으로 이어져 그날따라 놓고 간 남

편의 차 앞으로 나를 인도했다. 수화기 너머 당신을 보듯, 당신의 차 앞에 서서 막내가 좋아하는 각종 캐릭터 스티커를 접착력 짱짱한 놈들로다가 덕지덕지 붙여 줄까 하고 5분 동안 고민했다. 스티커와 스티커 주인은 무슨 죄랴? 그 깜찍한 스티커를 붙여야 할 곳은 당신의 차가 아니라 저도 모르게 튀어 나간 날 선 말에 아내보다 깊이 베어 괜히 짜증으로 가득 차 있을 당신의 마음이 아닐까 싶어졌다.

아 끔찍한 바이러스에 감염된 이 깜찍한 생활. '칼날'은 이 백해무익한 바이러스가 숙주 세포의 수용체에 결합하는 데 결정적인 역할을 하는 단백질 스파이크를 제거하는 데나 쓰고, 우리 달달한 바닐라 라떼 한 잔 할까? 내가 L 커피의 바리스타보다 맛있게 내려줄게.

크게 버리는 사람만이 크게 얻을 수 있다. 정말?

"이 문장에 밑줄 쫙악! '크게 버리는 사람만이 크게 얻을 수 있다.' 이 부분에 활용된 표현 기법 아는 사람? 역설법! 그렇지! 다음 페이지에는 선생님이 역설법이 나타난 작품들만 모아서 연계 학습할 수 있도록 해놨으니까 꼭 공부해오자. 복습 평가에 반영할 거야. 오늘 수업 끝!"

다른 작품들보다 법정 스님의 〈무소유〉를 수업할 때, 특히 수강생들과 함께 일사불란하게 이 문장에 밑줄을 칠 때 나는 희열을 느낀다. 크게 버리는 사람만이 크게 얻을 수 있다니. 내가 줄곧 실천해 왔던 생활의 철학을 불교계의 위인을 넘어 만인의 정신적 스승으로 추앙받는 스님의 명문장을 통해 인정받는 경험은 짜릿하지 않을 수 없다.

남편이 꼽는 나의 가장 큰 장기는 무엇이든 잘 버리는 것이다. 냄새와 벌레 서식의 일번지인 물 쓰레기는 물론, 플라스틱, 비닐, 캔 등의 재활용 쓰레기, 강아지를 키우며 부쩍 늘어난 생활 쓰레기를 각 봉투가 차는 대로 단지 내 배출장에 분리 배출하는 건 내가 생각해도 참 훌륭한 장기가 아닐 수 없다.

새로운 생활 기기 써보기를 좋아하는 남편과 학령기에 있는 아들 둘이 소비하는 잡화의 종류와 양은 무시무시하다. 그 중엔 무엇이든 손에 닿으면 버리는 습관이 있는 엄마의 손에 수명을 다한 물건도 부지기수다.

두 아이가 유치원이나 초등학교에서 만들어온 공예품들이 성공적으로 버려지던 어느 날, 공룡 모양의 공예품 발톱을 미처 숨기지 못해 아이에게 발각되는 실수도 이따금 있었다. 뿐인가? 작은 방 책장의 파일들을 정리한답시고 온갖 서류 파일을 일일이 꺼내 파쇄하여 정리한 며칠 뒤에 부동산 매매 계약서를 버렸다는 사실을 깨달았을 때는 이 손에 깃든 버림 귀신을 부적이라도 써서 물리치고 싶은 적도 있었다.

밤 11시, 퇴근이 늦은 내가 현관에 들어서면 남편은 소파에 앉아 두 손에 게임기를 붙들고 얼굴만 돌려(가끔은 얼굴도 돌리지 않고), 왔어?, 하고 인사를 한다. 그런데 어제는 무슨 바람이 불었는지 내가 현관에 들어서자 소파에서 벌떡 일어나 부엌으로 향하면서 외친다.

"아로니아 망고 바나나 주스 먹을 사람~!"

친가에서 할머니가 정성스럽게 갈아주신 아로니아 주스를 아빠와 이미 맛보고 온 막내가 제일 먼저 손을 들었다. 막 퇴근해 정신이 없는 나를 지목하며 남편이 다시 물었다.

"아로니아 망고 바나나 주스 먹을 거야?"

"응."

마트에서 산 망고 주스에 바나나와 아로니아를 1:1로 갈아 만든 주스는, 9시간 강의를 마치고 온 터라 대꾸할 기력도 없이 흘려보내는 늘어진 혓바닥에 잠시나마 신신하고도 달곰한 휴식을 선사해주었다. 기력을 회복한 입에선 칭찬이 절로 나왔다.

"아로니아 안 버리길 잘했네. 이렇게 맛있는 걸!"

시댁에서 가져온 아로니아가 냉장고에서 2주일이 넘어갈 즈음부터 나는 채소 서랍을 열 때마다 걸리적거리는 아로니아와 눈싸움 중이었다. 아무리 성능이 좋은 냉장고라도 2주가 되어가는 과일 열매를 먹어도 될까? '세월' 과 비례하지 않는 주부 경력에 의심만 많은 내가 제일 잘 버리는 것 중에 하나가 냉장고에서 1주 내지 2주의 시간을 보낸 채소와 과일이었다. 겉보기엔 살짝 시든 정도지만 내 기준 오래되었다는 이유로. 채소 칸에 관심이 없는 남편 덕에 가능한 습관이기도 하다.

그런데 웬일인지 이번에 가져온 아로니아에 대해서는 남편의 관심이 지대했다. 결혼한 이래 거의 처음 보는 광경이었다. 남편이 믹서기를 제 손으로 꺼내 다른 과일과 함께 '아로니아' 라는 낯선 과실을 직접 갈아 먹는다니. 그 일련의 아이디어와 실천의 절차가 조목조목 신기한 일이 아닐 수 없었다. 심지어 그걸 가져온 지 2주나 되어간다는 사실을 인지하고는 손수 냉동실로 옮기는 것이다. 안 그래도 며칠째 아로니아와 눈싸움 중이던 나는 한 마디 거들었다.

"버려야되지 않아? 오래됐는데…."

남편은 검은 봉지 속 과육 상태를 보는 듯 하더니 "아직 괜찮은 것 같아." 하고 냉동실에 넣었다.

평소 깎아 바치고 씻어 바쳐도 쳐다도 안 볼 때가 많은 과일류에 그가 관심을 갖는 것부터 재밌었다. 중년의 가장이 된 아들을 걱정하는 어머니의 마음을 읽은 건가 싶어 대견하기도 했다. 무엇보다 처리하기 어렵다 싶으면 버릴 생각부터 하는 나와 달리, 작은 과일 열매 한 봉지를 소중히 여기고 아끼는 그 뒷모습을 자꾸 바라보게 되었다.

버리는 건 쉽다. 눈에 띄는 게 싫어서, 처리하기 어렵고 번잡스러워서, 공간을 차지하는 게 불편해서, 질서 없이 늘어져 있는 물체들이 나의 무질서한 생활 같아서, 쓸모없이 처박혀 있는 잡화들이 어느 날 사라져도 크게 불편하지 않을 '나' 자신 같아서 버린다. 자전하는 지구를 따라 숨 가쁘게 질주해왔으나 제자리는커녕 지구 바깥으로 내몰리는 것만 같은 어느 날에는 그저 내려놓으면 그만일 헛된 욕심 같아서도 버린다.

남편이 내내 돌보고 한 알 한 알 씻어서 궁합이 잘 맞는 다른 과일과 알맞은 비율로 섞어 갈아주는 아로니아 주스는 기억에 남을 만큼 달았다. 그 일련의 절차 속에 포근하게 안기는, 아들네 건강을 챙겨 보내주신 어머님의 마음이 달다. 조그마한 묘목을 습윤하고 통기성이 좋은 땅에 심어 병충해를 입지 않도록 거름을 주고 관수(灌水)를 하고 알찬 과실이 되도록 세심하게 돌보아 주었을 농부의 마음이 정답다.

남편은 무엇이든 잘 품는다. 아이의 공예품도 이건 6살 여름에, 저건 7살 겨울에 만든 거니까 이런 식의 마음만 먹으면 무한대로 붙일 수 있을 것 같은 이유를 붙여, 주로 키가 작은 내 손에 쉽사리 잡히지 못할 곳에 올려둔다. 대학교 때 입었던 점퍼도, 무겁고 두꺼워 적잖은 돈을 주고 만든 것을 두고두고 후회 중인 결혼 앨범도 버려질 위기를 여러 번 모면하고 아직 생존해 있다. 온갖 여행지에서 사 모은 텀블러도, 새 신발이 담겼던 신발 상자도 남편의 책상 밑에 은신 중이다.

버리지 않고 두는 일은 불편하고 답답하다. 그런데 청소를 하다 눈에 띈 애물단지들을 오늘은 기필코 버려야지 하고 꺼내려다 요놈을 품고 간직해 놓은 그의 마음이 닿을 때가 있다. 엄마 손에 잡힐세라 앞장서서 공간을 확보하고 고놈들이 편안히 여생을 보낼 수 있도록 참 애써 놓은 마음. 처음엔 당신 와이프를 이렇게 좀 보살펴주지 싶다가도 아무도 관심을 가질 리 없는 빈 상자 하나를 이토록 애지중지 숨겨주는 그 정성을 가만히 느끼고 있자면 그 자리가 보일러라도 켠 듯이 뜨끈해진다.

'아끼고 사랑하는 마음' 이랄까.

따뜻한 건 어떻게 못한다더니 그 마음을 알아챈 이상 애물단지를 처치하려 뻗었던 두 손은 금세 할 일을 잃고 물러나고 만다. 버리려고 눈싸움 중이던 아로니아를 알알이 씻어 아내와 아이가 마실 주스를 준비하는 남편의 뒷모습에 그저 눈을 뺏길 수밖에 없었듯이.

"크게 버리는 사람만이 크게 얻을 수 있다."

오늘은 이 무소유의 역리(逆理)가 조금 다른 의미로 다가온다. 닥치는 대로 버리라는, 나의 장기에 매우 부합하는 뜻으로만 읽고 호기롭게 밑줄을 쳤던 어제의 강의가 부끄러워진다. 버리려거든 그 전에 무엇을 그리 쥐고 있는가, 그간 힘주어 붙들고 있느라 창백해져 있는 손아귀를 펴고 가만히 들여다보라는 나직한 목소리가 들린다.

비좁은 손아귀 속에 잡히는 족족 날라다 쌓아놓고, 잡히는 족족 버리지 못해 안달해 온 모순의 삶이 여전히 애면글면하고 있다. 주먹을 펴기가 무섭게 부연 먼지가 공중에 날아간다. 모래알갱이들이 손가락 틈으로 흘러내린다. 돌아보면 한갓 먼지 바람 같은 세월, 모래알갱이 같은 욕심. 고작 이렇게 스르륵 빠져나갈 무엇을 붙드느라 갖은 애를 써 버텨온 삶이, 이윽고 드러나 보이는 자글자글 주름진 손바닥의 살갗처럼 쓸쓸하다.

하지만 세월은 흐르고 삶은 내 안에 온전히 남는 것. 공중으로, 손틈으로 한참이나 새어나갈 것들이 빠져나가고 손금의 한 가운데 윤이 반질반질 나는 진주 서너 알이 반짝 빛난다. 아로니아 한 알 한 알 알차게 익어가도록 세심하게 돌보아 주었을 농부의 마음과 같이, 검은 봉지 가득 아들네 건강을 챙겨 보내주신 어머님의 마음과 같이, 아이의 일곱 살 겨울이 담긴 공예품을 키 높은 장 위에 고이 품어준 남편의 마음과 같이, 한 찰나도 놓치지 않도록 알뜰히 살아낸 날들이 달다. 그 알뜰한 날들 속에서 한사코 지켜낸 목숨 같은 사람들이 정답다. 그 모두가 지켜낸 '나' 가 반짝 빛난다.

'크게 버리라' 는 말은 도리어 '버리지 말아야 할 것이 무엇이냐' 고 묻는다. 그리고 '크게 버릴 것' 은 오직 이 소중한 것들을 가리는 먼지투성이의 헛헛한 욕심일 뿐임을 깨닫게 한다.

K고등학교 기말고사 국어 시험에 과연 '무소유의 역리' 에 관한 문제가 출제되었다.

- 밑줄 친 '무소유의 역리'가 뜻하는 것을 15자 이상 서술하시오

시험 후 바로 발표된 답지의 내용은 이랬다.

- 아무것도 소유하지 않을 때 참된 자유와 행복을 얻을 수 있다.

나는 여기에, 시험에서는 용인되지 못할 나만의 답을 더해 본다.

- 헛된 소유를 버리되, 진정으로 소중한 것을 아끼고 사랑할 때 참된 자유와 행복을 얻을 수 있다.

법정 스님이라면 '동그라미' 까지는 아니어도 '세모' 정도는 그려주지 않으셨을까?

새벽녘 별안간에 인생이 오다

인생은,

새벽녘 별안간 잠을 깨우는 토사물을 뱉지도 삼키지도 못하고
제 방에서 안방으로 달려 나온
아이의 구토를 마저 시키고
미온수 두어 모금으로 놀란 위를 진정하게 한 뒤
안방 침대에 몸을 모로 눕히고
그 옆에 내 가슴을 포개고 같이 모로 누워서
배와 등을 번갈아 가며 쓸어주고 있노라면

지난 저녁 식탁에서 배부르다고 숟가락을 놓는 걸 불고기는 남기지 말고 먹자고, 끝내 다 먹어내는 아이를 틈틈이 쏘아보았던
모진 어미의 욕심이 돌이켜지는데

어느새
나의 얄팍한 품을 토닥토닥 쓸어내리는,
체기가 가라앉은 것 같은 들숨과 날숨을 오랫동안 껴안고
아이의 숨결이 정연해짐에 따라
안도의 숨결을 삼가 놓으며

내일 아침에는 출근하기 전에
감자랑 양파랑 닭고기를 다져 넣고
닭고기 야채죽을 순하게 끓여 먹여야겠다는 다짐으로
아이가 물 삼키는 사이 안쳐놓은
밥 익어가는 꼬순내를 맡으며

혹시 열은 없는가, 잠든 이마를 짚어보고
어제의 모진 어미를 발길질하고
그제야 잠을 청해보려는 찰나

심야의 정적을 깨는
"띠링" 하고 울리는
그 간격도 일정한 청각적 이미지

범인은 다름 아닌,
오늘로 스무날 하고도 이틀째
지구 반대편으로 출장을 가 있는
아이 아빠의 차 키가
텅 빈 배터리 이모티콘을
반짝반짝 빛내며
주인을 애타게 찾는 시그널이었으니

주인 대신 주인의 아내 되는 자격으로
충전 포트를 꽂아 달래 놓고,

비로소 베개에 누인 머리 속에서는
지구 반대편에서 근무 중인
차 키 주인의 점심 메뉴는 뭐였을까
골똘한 운동이 일어나다가
별안간에 눈물샘을 두드리는 뉴런의 손 신호에 화들짝 눈꺼풀을 닫고

그저
이 찰나 고마운 마음으로
머리를 조아리며
뜬 눈으로 헤쳐나가는
한밤중의

고요
같은 것

그럼에도 불구하고, Yes Kids!

한 손에는 둘째 아이 손을 잡고 첫째의 수영 강습 센터에 갔을 때였다. 형의 강습 시간이 지루했던 둘째는 이 의자 저 의자를 굴러다니며 무료함을 달래다 말했다.

"엄마, 나 화장실 갔다 올게. 혼자 갔다 올 수 있어. 따라오지 마."

수영장 바로 옆이 화장실이고 여러 번 가본 곳이라 시원하게 허락했다.

"그래." 하지만 호쾌했던 말과는 달리, 유독 예상치 못한 일로 놀라게 하는 일이 많은 둘째에 대해 극심한 불안장애를 앓고 있는 두 눈은 자연스럽게 그 꽁무니를 따라가기 시작했다. 어라? 역시 엄마를 안심시키는 데 성공한, 발랄하고 깜찍한 꽁무니가 향하는 곳은 화장실이 아니었다. 도대체 너는 어디로 가는 거니?

아이 덕분에 웃는다.

대체로 어이가 없어서지만 나에게 오는 아이에게 웃음이 터지지 않기는 힘들다. "으앙으앙!" 하고 울어서, "하하하!" 하고 웃어서, 새근새근 잘 자서, 앙큼상큼 걸어도 오고, 와당탕퉁탕 뛰어도 와서, 밥그릇을 싹 비워서, 국그릇의 국을 그대로 남겨서 그냥 너라서 너니까 너이기 때문에 웃는다.

겸손하게 한다.

아이와 함께라면, 아이는 틀림없이, 나의 한껏 쳐들었던 고개를 땅 속 깊이 떨구게 하고 솟았던 어깨 뽕을 볼 빨간 자괴감으로 무너뜨린다. 하루 시간표를 야무지게 채웠던 계획은, 애초에 짜지 않는 것이 진리라는 육아 고수의 고언(苦言)이 좋은 약이었음에 절로 머리가 숙여지니 이를 365일 무한 반복하다 보면 내 집이 절간이요, 나는 그저 이 마음을 어제보다 한 뼘만 평온하기를 구걸하는 탁발승에 불과함을 깨닫게 된다. 10년 만에 떠나는 해외여행의 첫날이었다. 공항에서 항공권을 발권하는 순간부터 내리 기침을 시작하는 아이를 의심스럽게 쳐다보며 뜨끈뜨끈해지는 아이의 이마에 조심스럽게 손등을 대 보며 현실을 부정해 본 사람이라면 더욱 알 것이다.

참 소탈하게 한다.

상상을 불허하는 셀 수 없는 겪음을 치르며 심장 쓸어내리기가 취미가 된 지 오래다. 겪음마다 울고 화내고 가슴을 치고 지치는 일은 초보 엄마들의 일기에나 쓰일 법한 심경이다. 시간이 약이요, 오늘의 겪음은 이 또한 고요한 마음으로 지나는 것이 해답임을 안다.

우주에서 가장 완전한 사랑을 준다.

어쩌면 엄마인 나조차도 오로지 주어본 적이 없는, 세상에는 없는 사랑을 준다. 세상이 나에게 친절할 때에도, 나를 헐뜯을 때에도, 매우 아끼는 불편한 옷을 걸치고 두꺼운 화장을 하고 귀걸이 목걸이 빛내며 잘난 척하는 날에도, 무쪽같이 변변찮은 얼굴에 기름 냄새 찐 머리에, 칫솔질을 못 한 입내 풍기며 괴물같이 화를 내는 날에도 한결같이 나를 찾는다. 주저없이 나를 안는다. 온몸을 내 좁은 가슴팍에 눕히고 잠을 청한다. 내 혈관의 한 줄기를 끊고 세상에 처음 발가락을 내민 그 날처럼 똑같이 아무 셈 없이 나를 본다. 한없이 가볍고 끝없이 모자라며 매일같이 다른 이 사랑을 받고 자란 아이가 한결같이 그냥 엄마니까 엄마라서 나를 본다. "엄마, 이게 사랑이야." 라고 알려주는 듯이.

미처 참을 새 없이 쏟아진 나의 짜증에 억지로 잠든 아이의 얼굴을 돌아보며 한 번쯤 뭉클해 본 사람이라면 알 것이다. 때로는 내가 아이를 받아주는 것이 아니라 아이가 나를 온전히 받아들인다는 것을.

빈 껍데기에 속지 않게 하고 지금도 속아 넘어가고 있는 어리석은 나를 깨운다.

오늘의 생활도 숨차게 버티는 내가 내일을 생각하게 하고 잠시나마

옳고 그름을 헤아려보게 한다. 내 아이의 친구와, 그 친구의 엄마와, 내 아이의 선생님과, 이 아이가 뛰어노는 마을과, 내 아이가 살아갈 나라와, 내 아이가 숨 쉴 하늘을 돌아보게 한다. 아이를 부정하는 것은 나를 부정하는 것이듯, 아이를 긍정하는 것은 나를 긍정하는 것이다. 아이는 나의 어제이자 나의 미래이다. 나의 사랑이 아이를 키우듯 아이의 사랑이 나를 키운다. 아이의 가치를 의심하는 불행한 세상을 치유할 수 있는 것은 오직 아이만이 줄 수 있는 완전한 사랑, 그뿐이다.

애초에 화장실에 갈 생각이 없었던 발칙한 아이의 꽁무니가 저 혼자 비상계단 두 층을 올라 도착한 곳은 다름 아닌 '블럭 카페' 이었다. 그리고 당당히 문을 열고 들어가는 너란 아이! 데스크 앞에 서서 몇 분간 쫑알거리더니 블록 책을 달라고 한다. 엄마 전화번호를 알려줬다고 한다. 엄마가 곧 온다며…. 아이는 대체로 멋대로다. 엄마의 불안 지수를 수시로 끌어올린다. 1초가 아까울세라 가슴을 들쑤셔놓는 통에 오장육부가 모자랄 지경이다. 지침을 따르지 않는 것은 국룰이다. '아이' 의 당연한 도리 혹은 아이다울 정당한 권리라고나 할까? 서두를 땐 온갖 늑장을 부리며 오고 천천히 가야할 땐 쏜살같이 뛴다.오늘도 엄마를 강제로 운동시킨다. 오늘도 엄마의 얼굴에 괴물 가면을 씌운다. 가끔은 내가 본래 괴물이었나 싶다.

그럼에도 불구하고 "Yes, kids." 인 이유다.

다시 태어나도 아이를 낳을 거냐고 묻는다면? 그건 그때 가서 생각해도 늦지 않겠다.

너의 의미

TV 드라마 속 한 여배우의 잊히지 않는 대사가 있다.

"이렇게 사랑하는 아이를 낳은 것을 후회하기도 해요! 그런 내가 엄마가 맞냐며 스스로 가슴을 찢은 밤이 셀 수 없다고요!"라며 실제인 듯 오열하던 장면.

배우를 따라 함께 오열하며 어떻게든 길러 온 아이의 의미는 아이가 처음 나를 향해 걸어왔을 때도, 아이가 처음 '엄마'라고 불러주었을 때도, '엄마'라고 열두 칸 공책에 열두 번을 써 왔을 때도 사실은 잘 몰랐던 것 같다. 그러고도 한참이나 자라서 어느 날 첫 직장을 그만두고 돌아와 외투도 벗지 않고 집 앞 현관 매트에 주저앉아 허망하게 울고 있는 나를 아이가 나와 처음 안아줬던 그즈음부터 어렴풋이 느껴지기 시작했던 것 같다. '내 아이' 란 이런 느낌인가….

아이는 일거수일투족을 구속한다. 일목요연하게 짜놓은 24시간을 엉망진창으로 만든다. 새로운 친구를 만들어주었다가 친구를 잃게도 한다. 산발한 머리로 춤을 추게 했다가 곱게 꾸민 얼굴로 괴성을 지르게 한다. 하나뿐인 심장이 모자라는 감동을 주었다가 두 개인 허파도 모자라는 고통을 주기도 한다. 가끔은 내가 철인인가 싶게 부지런해지게 한다. 나무늘보가 머쓱해지도록 늘어지게도 한다. 침 흘리며 잠들게도 하고, 잠 한숨 허락하지 않고 끙끙 앓게도 한다.

이 아이는 나에게 무엇일까? 너는 나에게 무엇이기에 너를 만나기 이전에는 단 한 번도 상상해본 적도 없는 '나' 를 매일 매 순간 수시로 만나게 하는 걸까?

세월을 더한 만큼 낯설어지는 타인과 어제의 상처를 껴안고 움츠러든 어깨를 오늘도 할퀴고 가는 세상의 발톱에 늘 신음하는 삶에는 괴로움이 마를 날 없다.

엄마 아빠는 알고 있었겠지? 할머니, 할아버지도 다 알고 있었겠지? 지금보다 더하면 더했지, 덜하지는 않았을 폭압적인 시대를 관통하며 그들은 얼마나 뼈아픈 시간을 견디고 견뎌야 했을까?

학교에서는 배울 수 없는 생활에 지고 또 지는 와중에도 기어코 내 어깨에 책가방을 메어주고 고사리손에 교과서를 쥐여준 이유는 무엇이었을까? 낯선 타인과 세상에 베인 상처와 낡아가는 삶을 안고 그 슬픔에 묵직하게 젖은 날들을 이끌고 지금도 굳건히 곁에 버티고 있게 하는 힘은 무엇이었을까?

'나' 였을까? 나에게 '너' 가 그렇듯이 '나' 도, 나의 엄마와 아빠에게 이 무거운 삶에 감사하며 두 손 꼭 쥐고 살아내게 한 기적과 같은 '길'이 되었을까?

나를 닮아 감수성이 풍부한 아이와 같이 누워 잠을 청한다. 아이가 제 엄마의 얼굴을 한 번 보고 해죽해죽 웃는다. 또 한 번 보고 히죽히죽 웃는다.

맑은 시간.

“엄마, 지금 내 마음을 시로 지어보는 놀이 할까?”

“그래, 민이가 먼저해 봐.”

“제목은, 〈엄마〉야! 엄-엄마는, 마-만날 만날 웃게 해주고 싶은 사람이다.”

만족스러운지 한참을 키득키득 웃는다.

“자! 이제 엄마 차례!”

순식간에 핑그르르 촉촉해진 눈을 두어 번 깜빡이고 나도 왕년에 백일장 대회에서 단상에 좀 올라가 본 실력을 발휘해 본다.

“우리 민이는 세상을 다 잃은 것 같은 날에도 세상을 다 얻은 것 같이 웃게 하는 사람이다.”

그러고는 또 서로 한 번 쳐다보고는 깔깔대고 웃는다. 참 신기하다.

“더 열심히 해야지, 이게 열심히 한 결과야?, 다른 사람들 하는 것 좀 봐! 네가 왜 아프냐!, 네가 한 게 뭐 있냐, 너는 욕심이 너무 많아, 너밖에 몰라, 네 생각은 틀렸어, 맞은 게 없어.” 라고 눈을 찢고 나를 몰아세우는 것만 같은 세상이 두려웠었다. 딴에는 3장의 개근상 속에 누적해 온 상식과 예의의 범주 안에서 충실하게 살아가는 중이라고 자부하던 삶을 매일매일 송두리째 부정당하는 느낌에 뒷목은 잔뜩 주눅이 들어 뻣뻣해지고, 10년이 넘게 이어온 관계도 낯설어졌다.

내가 그렇게 이상한가? 그렇게 잘못 살고 있나? 나에 대한 막연한 의심의 감옥에 갇혀 괴로웠다. 모든 선택의 갈림길에서 주저앉는 것

밖에 할 수 없었다. 아직 듣지도 않은 비난을 미리 떠올리며 질책하고 있었다. 자꾸 눈이 시어서 자주 하늘을 올려다보던 중이었다.

그런데 참 신기하다. 잠시겠지. 그렇겠지만, 말하자면 언젠가부터 아무리 애를 써도 1그램도 덜어지지 않던 마음의 짐이 이 작은 아이가 잠자리에 툭 던진 2행시 한 편에 말끔히 비워진다.

엄: 엄마는

마: 만날 웃게 해주고 싶은 사람이다.

험난한 삶 속에서도 이렇게 영롱한 꽃 한 송이를 피웠다는 것이 대견하다. 나를 이방인처럼 몰아내는 것만 같은 세상의 중심에 서서 이렇게 빛나는 별 하나를 띄웠다는 것이 마음 저릿해진다.

아! 너는, 홀린 듯 멈춰 서 보니 앞을 가로막고 서 있는 삶의 막다른 골목에서 '덤' 으로 살아보라고 허락해주신 기적이다. 너는 나의 오늘이자 내일로 난 '길' 이다. 살아있는 목숨이며 움직이는 영혼, 너는 나의 가장 아름다운 순간이며 가장 누추한 찰나이다. 가장 맑은 진실이고 뜨거운 사랑이다. 민낯과 알몸으로 온전히 몰두하게 하는 너는 내가 오랫동안 외면하고 참 오랫동안 그리워한 '나' 다. 너는 '나' 다.

인생을 세워놓고 물었다.

- 너는 어디로 흘러가는 중이니?

오랫동안 대답이 없어 물음표를 접으려던 차다. 여전히 답은 없다. 그래도 이 아이와 마주 보고 웃을 때만은 잘하고 있다, 틀리지 않았다, 오늘도 수고한 하루를 서로의 웃음으로 쓰다듬으며 내일도 뜨는 해에 설레어보자는 용기와 응원이 들려온다.

'나'로 살아보자. '나'의 속도로 멍청하게 걸어 나가 보자. 퍼붓는 빗속에서 나만의 춤을 그려보자. 오로지 유의할 점은 흔들림 없을 것. 지금도 이따금 지난 선택의 순간들을 통째로 흔들어놓기도 하는 이 아이가 갈 곳을 잃은 엄마를 꽉 붙든다.

"엄마 좀 그만 불러!" 하고 볼멘소리라도 하고 나면,

"엄마, 엄마, 엄마, 엄마, 엄마!" 하고 들으란 듯이 쉬지도 않고 불러대는 아이.

아이의 사랑에는 거짓이 없다. 차별이 없다. 모난 데 없이 완전한 사랑으로 나를 부르는 너. 내 잔소리를 거꾸로 받아치는 괘씸한 두 입술조차 반짝반짝 빛나는 네가 있어서 나의 세상이 환하다.

둥글어져라, 둥글어져라, 우리 엄마 둥글어져라

둘째 아들은 모태 사랑꾼이다. 사랑꾼의 타고난 재능은 밤에 자려고 얼굴을 맞대고 누울 때 특히 빛을 발한다. 아이가 말한다.

"엄마, 나 엄마한테 좀 고맙다."

핸드폰으로 결제 비밀번호를 넣는 데 집중하느라 잘 못 들었다.

"응? 뭐라고?"

"엄마한테 고맙다고. 엄마가 웃어서 예쁠 때나 혼내느라 못생겼을 때나 고마워."

"엄마가 못생겼어?"

집중하지 못하는 중에도, 못생겼다는 단어는 어찌 그리 귀에 콕 들어와 박히는가.

"혼낼 때는 좀 그래. 눈을 감고 싶어." 아이의 표현은 때때로 송곳처럼 날카롭다.

"아, 그래…. 그런데 왜 그럴 때도 고마워?"

"엄마가 나를 낳아줬으니까. 엄마가 나를 안 낳았으면 내가 이 세상에 안 태어났고, 그러면

엄마를 못 만났을 거 아니야."

아이 말에 대꾸하기, 핸드폰 결제 완료하기 등 분주한 가운데 건성건성 듣고 있던 나이롱 엄마는 순식간에 코끝이 시큰해진다.

"나는 엄마를 볼 때마다 엄마를 만나려고 내가 태어났나보다 하고 생각이 들어."

"아, 그게 그렇게 고마워?"

당황한 입술이 뱉은 말은 그야말로 아무 말 수준이다.

"그럼! 엄마는 이 세상에 있는데, 나는 안 태어나고 계속 하늘에 있는 별이었으면 얼마나 슬펐겠어. 잘 보이지도 않고."

"그런 생각까지 했구나. 그건 정말 슬펐겠다. 엄마도 우리 민이가 태어나줘서 정말 고마워."

어릴 때부터 이렇게 사랑꾼 인증 본능이라도 있는 듯이 엄마의 감성에 명언을 툭 던져놓고는 쌔근쌔근 잠이 드는데 그 중에도 이날 밤의 대화는, 이 아이는 정말 하늘의 별이 아니었나 싶게 여운이 깊었다.

하루는 남편에게 말했다.

"바다 가고 싶다." 그랬더니 대뜸 이렇게 받아친다.

"아…. 이래서 뭘 해주면 안 돼."

지난 겨울에 나 몰래 계획하여 선물해 줬던 강릉 바다 여행이 생각난 모양이다. 밤늦게 퇴근한 나를 기다려 차에 태우고는 갑자기 강릉의 겨울 바다를 향해 달리던 심야의 고속도로는 낭만 그 자체였다. 짙푸르고도 예쁜 바다와 다음 날의 붉게 떠오르는 태양에 천 근 얼음장같이 굳었던 마음이 사르르 녹는 여행이었다. 그토록 낭만적인 바다 여행이 지난 해 한정 리미티드 에디션이었는지는 미처 생각지도 못했다.

그 전에는 눈이 하얗게 오길래 슬쩍 말했다.

"강원도 인제에 자작나무 숲이 눈 올 때 그렇게 예쁘대!"

남편은 역시 기다렸다는 듯이 받아쳤다.

"거긴 왜 가. 추워 죽어."

할(말은) 많(지만) 하(지) 않(겠다)! 딱 그런 심정이었다.

'맘 카페'에서 용하다는 점집 정보 글에 보이는 대로 '좋아요'를 누른다. 아이들이 스스로 핸드폰을 끄고도 뒹굴거리다 지칠 정도로 죽은 듯이 자보기도 한다. 드라마 속 죽음의 문턱에 선 여자 주인공 곁을, 자기가 위험에 처할 것이 확실한 상황에서도 흔들림 없이 지키는 남자 주인공이 안타까워서 엉엉 울어보기도 한다. 온종일 축구를 하고 와서 장시간 욕조 목욕을 하겠다는 큰 아이를 향해, '식사 준비가 다 되었으니 먹고 씻자', 하고 조용히 타일러도 좋을 것을,

"제정신이야! 엄마 저녁 준비하는 거 안 보여!" 라고 냅다 고함을 지르기도 한다.

"점심 먹었어?" 하고, 보통 12시 13분쯤이면 전화를 걸어오는 자상한 남편에게 "별로 안 먹고 싶어." 라고 비틀어 답한다. 끊긴 전화의 얼룩덜룩한 화면에 또르르 떨어지는 눈물에다 고추장을 최대한으로 넣고, 식탁에 내놔도 가족들이 더는 손대지 않을 것 같은 잔반을 커다란 양푼에 이것저것 넣고 휘휘 비빈다.

싸움닭인지 정신병자인지 모를 이 고단한 정체성이 한숨 끝에 가까스로 매달려 허우적거리고 있을 때면, 불시에 쳐들어오는 이 사랑꾼의 언어는 받침돌을 괴어 주듯 아늑하다.

나의 사랑은 모가 나 있는데 아이의 사랑은 모난 데 없이 온전하다. 나의 삶은 낡고 병약해 가는데 아이의 삶은 매일 새로 태어나 나의 모난 사랑을 쓰다듬는다.

-둥글어져라, 둥글어져라, 우리 엄마 아플라, 둥글어져라

"NO KIDS" 세상에서 너를 낳고 키우느라 내 삶이 다 망가져 버렸다고 여기던 원망의 날이 왜 없었을까? 아이를 키우는 엄마에게, 심지어 아이를 키우며 '사회의 필요'에도 부응하려는 엄마에게 세상의 가혹함은 무엇을 상상하든 상상 그 이상이었다. '너 때문이야, 내가 이렇게 아픈 건 너 때문이야', 하고 모진 내 삶의 책임을 너에게 돌리고 나면 나는 더 불행해졌다. 그건 너 때문이 아님을 잘 알고 있었기 때문일 것이다.

네가 있어서 낡을 대로 낡은 삶이라도 헛되지 않을 수 있었다는 걸, 네가 있었기에 닳을 대로 닳은 나라도 초라하지는 않을 수 있었다는 걸 아이의 사랑의 말 속에서 깨닫는다.

벌써 내 나이 마흔 중반을 향하고 있다. 30대만 해도 내가 선택하고 가끔은 버릴 수조차 있었던 '세상'에 버림받을까 노심초사하는 눈치꾸러기가 된 건 언제부터일까. 스무 살 때만 해도 있으면 고맙지만 없어도 그만이었던 '돈' 에 그리 속고 속으면서도 꾸역꾸역 끌려다니기 시작한 지가 언제일까. 달고나에 찍힌 별 모양을 한 치의 오차도 없이 떼어내 사장님 할아버지께서 한 판 더 구워주신 달고나를 허세

등등하게 나눠 먹으며 깔깔거리던 친구들이 아직도 손에 잡힐 듯한데, 이제는 누군가 다가오기도 전에 어느 날 떠나도 상처받지 않을 정도의 선부터 긋기에 바쁘다.

세상에 기웃거리느라 벌개진 눈알이 초점을 잃어가는 듯하다. 지긋지긋한 '통장 잔고' 에 끌려다니느라 늘어진 목덜미가 스스로 감은 목줄에 죄여 간다. 인연마다 선 긋기에 바쁜 손이 굳은살에 파묻혀 체온을 잊는다.

마흔, 나는 이제 제법 인생의 고학년 축에 드는 셈인데 삶의 교과서는 점점 더 난해하기만 하다. 사람들과 마음을 터놓고 마주하고 싶어도 그들은 여전히 내게 읽기 어려운 책이다.

분수에 맞지 않는 것들을 하나씩 버리기 시작할 때 마음의 행복이 채워지기 시작할 것이라는, 지금은 타계하신 어느 스님의 말을 수백 번 되뇌어 보지만 내 마음에는 별다른 변화가 없다. 수많은 자문(自問)과 고민(苦悶) 끝에 만나는 나는 역시 어제와 똑같이 어리석은 일과를 답습하려 든다.

다행한 것은 매일 밤낮 그 어리석은 소시민 옆에서 늘 빛나고 있는 모태 사랑꾼, 이 아이를 발견하는 것이다.

3개월 정도 유지해 오던 '스피닝' 운동을 결국 지인에게 양도했다. 지난주부터 1시간 일찍 일어나서 아이들 아침밥을 튼튼하게 차려주겠다고 맞춰둔 알람은 꼬박 열흘을 불태우고 '해제' 되었다. 역시 일관성 있는 '나' 다. 그러나 또 괜찮다. 느슨해진 마음 당겨 다시 시작하고, 설정하면 된다.

2022년 카타르 월드컵 포르투갈전에서 승리를 거두고 16강 진출을 확정한 국가대표팀이 전한 메시지는 단연 2022년 최고의 패러다임으로 인기를 끌었다.

- 중요한 것은 꺾이지 않는 마음

꺾이는 것은 인생의 본질이요, 꺾이지 않는 것은 인간의 본능이다. 일상의 소소한 일로부터 역사의 중차대한 일에 이르기까지 꺾이지 않고, 넘어지지 않고 이루어진 성취는 없다. 하물며 곁에는 살고 있자면 용기를 불어넣어 주는 나의 분신, 별빛 같은 사랑꾼이 있으니 오늘 또 꺾인 김에 내일은 이 사랑꾼과 반짝반짝 윤나는 떡볶이를 양껏 먹고 무엇이나 다시 시작해보면 좋겠다. 미간을 찌그려 가며 쥐어짜던 안간힘을 빼고, 잠든 아이를 오래 바라본다.

인생은 이런 건가 보다 하고 돌아보면 네가 있어 다행이다, 하고 또 살아지는 하루다.

둥글어져라, 둥글어져라, 나의 생각과 말들아 부디 둥글어져라. 사랑꾼의 언어처럼.

'부모'가 '아이'에게 주어야 하는 것

사랑,

아이가 사랑이라고 느끼는 사랑.

엄마가 아프고 힘든 게 두려워서
아이를 아프고 힘들게 하지 않는 사랑
엄마에게 되돌아오지 않더라도
아이 자신을 둘러싼 사람들에게 오롯이 번져나가는 사랑
그것으로 충분한 사랑

믿음,

아이가 불안해하지 않는 믿음

기본적인 안전을 위협하지 않는 안에서는
넘어질 것 같더라도 조금 모른 척하고 있다가
무릎 툭툭 털고 일어나 쳐다보면 그때,
같이 씨익 웃어주는 믿음.

"엄마는 네가 금방 일어날 줄 알았어." 하고.

기다림,

멀리 돌아가고 있어도
좀 힘들어 보이는 길을 가고 있어도
스스로 가고자 하는 곳에 도착할 때까지
초조한 눈빛을 들키지 않을 정도의 거리에서 기다림
엄마가 앞서서 아이의 손을 끌고 엄마의 목적지로 가는 게 더 쉽지만
아이의 인생은 엄마의 인생이 아니니까

절대로
아이의 걸음보다 앞지르지 않고 지켜보는 기다림.

책임감,

엄마가 사랑하고 믿고 기다려줬지만
원하지 않은 결과가 나왔을 때
그럴 수도 있음을 알게 되고,
그 결과에 대한 '좌절' 이 '인정' 으로 거듭나기까지

너덜너덜한 시간이 제 몫임을 알고,

그 넝마의 시간에서 다시 일어날 힘을 얻고,

그 실낱같은 힘만으로도 기어코 일어난 자신을

스스로 믿게 되는 책임감

그래서

자신을 지켜낼 수 있는 사람

자신을 기다릴 줄 아는 사람

자신을 믿는 사람

자신을 사랑하는 사람

그런

"단단한 사람" 이 될 수 있도록

부모가 아이에게 주어야 하는 것은

다만 이뿐

부모가

아이가 자라는 동안 매일매일 가장 가까운 거리에서 한 찰나도 쉬지 않고,

무한대의 모습과 소리와 냄새와 온도로 전하는

사랑

믿음

기다림과

책임감만이

그 사람의 온전한 그것이 되기에

그 누군가에 의한 것으로는 대체될 수 없는

부모가 줄 때만이 아이에게 가장 온전한 그것이 되기에

'아이' 가 절대적 존재이듯

아이에게 '엄마' 는 절대적 존재임을

아이에게 '아빠' 는 절대적 존재임을

잊지 않을 것

세상 모든 불행의 씨앗은

돈, 혹은 사랑의 결핍

돈의 결핍은 사랑으로 채워지지만

사랑의 결핍은 돈으로 채울 수 없는 것

파고(波高)가 높은 세상을 제 힘으로 헤엄쳐나가야 할 아이들에게

부모가 주어야 할 것은

언제나

이뿐

홀로그램 (시인 : 한재민)

엄마가
회사에 가 있어도

내 눈앞에
깜빡깜빡하며
홀로그램처럼
반짝거린다.

"엄마, 보라해!"

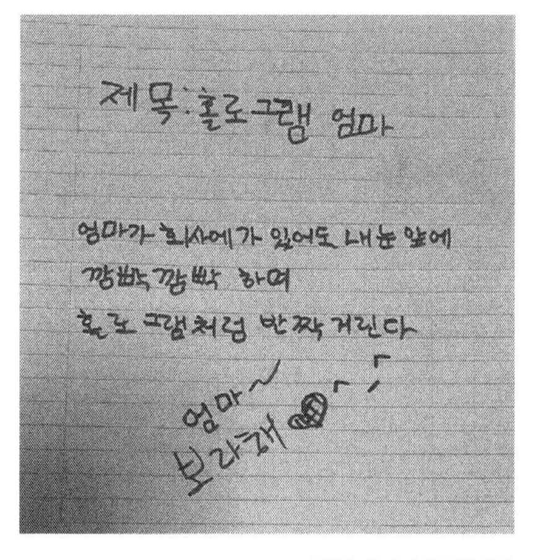

제목: 홀로그램 엄마

엄마가 회사에가 있어도 내눈 앞에
깜빡깜빡 하며
홀로 그램처럼 반짝 거린다

엄마~
보라해

〈첨부〉 엄마가 출근한 사이

글지기의 책장 #3 술래잡기 | 김종삼*

심청일 웃겨 보자고 시작한 것이
술래잡기였다.
꿈 속에서도 언제나 외로웠던 심청인
오랜만에 제 또래의 애들과
뜀박질을 하였다.

붙잡혔다.
술래가 되었다.
얼마 후 심청은
눈가리개 헝겊을 맨 채
한동안 서 있었다.
술래잡기 하던 애들은 안 됐다는 듯
심청을 위로해 주고 있었다.

---

* 출처 : 김종삼 『북 치는 소년』 시인 생각 (2013)

4장
나의 서점

아무리 애를 써도 잠이 오지 않을 때에는
시 쓰는 법을 배웠다
바로 오늘 같은 밤
바로 나 같은 누군가가 읽을지도 모를
이런 시를 위해

– 레너드 코헨, 〈나의 시〉 中에서

다행(多幸)하다 : 뜻밖에 일이 잘되어 운이 좋다.

마음 속 얼룩덜룩한 때글씨로
아무렇게나 밟아도 순백의 품으로 받아주는,
첫 눈 소복이 덮인 어느 일요일 아침 초등학교 운동장 같은

무지 공책

엄지 검지 사이에 쥐면 상하부 흉근이 탄탄해서
미더운,
지우개 똥 사이 벌거벗어놓은 마음
아무데도 떠벌리지 않을 것 같은,
굵다란 육각 기둥 연필 속 꾀 없이 새까만

흑연

칼바람 속에 하교한 딸내미 책가방을 내려주며
"거기 앉아." 하는 말에 돌아보면
식탁 위 김이 모락모락 피어오르고 있던,

그 며칠 전 샛노란 유자 5킬로를 둘러싸고 앉아
엄마는 힘이 제일 많이 들어가는 껍질 까기
나는 과육의 씨앗을 빼고 듬성듬성 자르기
동생은 껍질마다 편편이 채를 썰어
황설탕에 1주일을 푹 재워 만든 유자청 큰 두 숟가락에 펄펄 끓은 물을 미리 부어놓고 기다린,
막 하교한 딸내미가 한 모금씩 넘기기에 알맞게 따뜻하던 그 겨울 유자차처럼,

고집스런 마음 달큰히 타이르는
오래 좋아한 가수의 노래가 있어서

뜻밖에 일이 잘 되어 운이 좋다.
다행(多幸)하다.

가을 편지

더 다청(多靑)한

하늘

더 다홍(多紅)한

노을

이 밤 찬비에

고운 빛 꺼질세라

서둘러 지그시 부르자면

파란 하늘 질러 달려오는 너

붉은 노을 둘러 스러지는 너

'그대만큼 사랑스러운 사람을 본 일이 없다',

한 구절 쓰면 한 구절 와서 읽는 너

더 캄캄한

밤비에

물빛

연연(戀戀)한

편지

2015년 3월의 새벽녘 미명(微明)을 남기다

"명사~ 대명사~ 수사는~ ♬♪" 하며,

문법 수업 중에 뜬금없이 노래를 부르는 목소리가 가장 다정한

신해철 노래를 들으면 눈시울이 붉어지는

나의 벗 하나

"나, '사랑이 뭐길래' 라는 드라마 정말 좋아했었는데! 차인표가 정말 멋있었어!"

라고 막 던져 놓으면

"'사랑이 뭐길래' 는 1991년에 한 드라마이고 차인표는 1993년에 데뷔했으니까 '사랑이 뭐길래' 에는 차인표 안 나왔을 걸요."

라고 깔끔하게 정리해주는

새하얀 피부가 자꾸 보고 싶어지는

나의 벗 둘

"나 지난 시험 기간에 원형 탈모 생겨서 병원 다녔잖아."

하고 아무렇지도 않게 웃으며

우리가 걱정할 말을 찾는 사이

"이 노래 들어봐." 하고는

'그댄 나를 잊었죠. 내가 그댈 잊듯이~' 하고 시작하는 시큰한 뉴에이지 노래로

너희 마음 다 안다는 듯이 잔소리를 덮어 놓는
나의 벗 셋

누구의 엄마여도 좋고
누구의 아내여도 좋고
누구의 손녀여도 좋고
누구의 선생님이어도 좋았던

나의 벗들
나의 지음(知音)

그 중 벗 하나가 차고 굳은 땅 꿋꿋이 밀어내고 푸른 잎 틔우듯 마련한 첫 보금자리에서
'그댄 나를 잊었죠. 내가 그댈 잊듯이~' 하고 시작하는 시큰한 뉴에이지 노래를 들으며
말없이 함께 바라보았던
캄캄한 창문 너머로 성큼성큼 어둠을 허물어 오던 첫 새벽녘의 미명(未明)

그
잊히지 않을
위로

네 마음길을 걸어보라

사람 욕심 가운데 가장 어리석은 줄 알지만
알면서도 가장 버리기 어려운
가장 나 자신을 쓸쓸하게 하는 것
'사람 욕심' 이다

눈앞에 있을 때만 상냥히 웃는 사람
눈에서 멀어지면 그걸로 그만인 사람
단 한 번도 진실한 마음 열지 않는 그런 사람에게
내 진심 그렁그렁 매달 필요 없다
내 사람 아닐 뿐

사람이 그리운 사람아
허튼 인연에 길 잃은 눈길 거두고
깊은 곳 갈대 무성한 네 마음길을 걸어보라

오늘도 제 가슴 온전히 태우는 저녁해로
진달래 꽃물 가득 번지는
저문 하늘길

진실로 진실로 그리워 한 사람

그 길에 있다

봄

얼었던 시냇물이 녹아 흐르는 걸 보니

내 마음이 녹는 것 같고

포슬포슬하던 논두렁길까지 얼려놓던 지난 겨울 동장군도 백기를 든 것 같고

그간 몇 밤을 설치며 했던 고생도 녹는 것 같네

사르르

꽃 피면

또 그렇겠지?

두려움 없이, 주저없이

한 폭 하늘에
봄볕도 왔다 가고
여름 비도 다녀가듯
나의 오늘에는
어제 지나간 날들이 들쑥날쑥 다녀 간다

한 그루 나무에
서늘바람도 살랑이다 가고
겨울 눈발도 흩날리다 가듯
나의 오늘에는
어제 지나간 벗들이 이따금씩 다녀 간다

잊은 줄 알았지만 잊혀지지 않은 시간
끝인 줄 알았지만 끝나지 않은 인연

오늘의 나는
어제의 지문이 새겨진 길 위에
실뿌리처럼 잇닿은 손들을 잡고
다만 한 걸음의 길을 넓히는 것이다

두려움 없이
돌아보라

어제의 의미는 언제나
오늘의 어느 날에 오는 것

오늘의 등 뒤에는
겨울 바람에 단단해지고 봄볕에 쑥 자란
어제의 무성한 네가 있다.

주저 없이
나아가라

오늘의 의미는 비로소
내일의 어느 하늘에 빛나는 것

여름 비에 젖고 가을 바람에 마르는
오늘의 긴 머리카락 위에는
내일의 하늘이 있다.

나의 서점

어느 날 나는
나의 서점을 운영하고 싶다

나의 서점은
걸을 수 있는 모래밭이 있는 동쪽 바닷가
매일 첫해가 칠흑 같은 밤바다를 깨우는 곳이다

혹은
질펀한 개펄에 맨발을 잠글 수 있는 서쪽 바닷가
매일 끝해가 고단한 저녁 바다의 등을 쓸어주는 곳이다

나의 서점에는

'전국 청소년 백일장' 에 참가를 앞두고 열여섯의 소녀가
여러 번 필사했던 시집부터
나를 만나 국어 공부를 좋아하게 된 한 제자에게
며칠을 두고 고민하여 선물했던 에세이까지

내가 좋아했던 책들이 띄엄띄엄 앉아있다

그리고

나를 사랑하던
열심히 어울리던
끝내 등 돌리고 만
오래 그리워했지만
이젠 덤덤해진
혹은
가끔 유난히 슬픈 날은 한꺼번에 몰려와 울음보를 터트리는 그들이

이런 책도 읽어보라고 빌려주었던
미처 돌려주지 못한 책들도 꽤 잘 보이게 둔다

나의 서점에는

내일 그만두지 않을
믿을 만한 아르바이트 직원이 한 명 있고
내일 시들지 않을
향기로운 프리지아 한 다발이 있고
내일 고장나지 않을
고소한 '라떼' 를 만들어주는 커피 머신이 있고
내 힘으로 쓸고 닦을 수 있는

내 키에 맞는 자루 비와 물걸레가 있고
내가 좋아하는 사람들이 오면
너무 가깝지 않으면서 진실한 감정을 나눌 수 있는 크기의
테이블과 쿠션이 푹신한 의자가 있다
내 팔이 닿지 않는 높은 서가의 책을 가제트 팔을 뻗어 내려줄 수 있는 로봇도 있다

나의 서점에는
한 달에 4번 공(空)-Day가 있다

첫째 주 월요일 : 공(空) 책 Day - 공으로 책 보는 날
둘째 주 월요일 : 공(空) 커피 Day - 공으로 음료 마시는 날
셋째 주 월요일 : 공(空) 클래스 Day - 공으로 클래스 참여하는 날
주인장 픽 아무 요일 : 공(空) 꽃 Day - 공으로 꽃 선물하는 날

나의 서점에는
책과
커피와
배움과
꽃을 기다리는 사람들의 온도로
알맞게 설레며 다사한 공기가 있다

나의 서점에서
나는 매일 조금씩이라도 나의 이야기를 쓰고 싶다

연필 한 자루를 쥘 힘조차 쇠한 어느 날 직전에
나의 이야기들을 미주알고주알 기억하는
내가 지은 책을
그 즈음 즐겨 읽는 구절, 이를테면
"사랑하라 한 번도 상처받지 않은 것처럼"
과 같은 구절이 담긴 책 한 권과 나란히 두고 싶다

누군가
내가 지은 서점의 문을 연다
내가 지은 책의 문을 연다

어느 날 나는
거기
있고 싶다

내가 어쩌다 이렇게 끔찍한 인간이 되었을까

발행 2024년 01월 30일
지은이 이윤정
디자인 조미진
펴낸이 정원우
펴낸곳 글ego
출판등록 2019.06.21 (제2019-000227호)
주소 서울시 강남구 강남대로 118길 24 3층
이메일 writing4ego@gmail.com
홈페이지 http://egowriting.com
인스타그램 @egowriting

ISBN 979-11-6666-440-3